D0115468

Diseño de instituciones
para sistemas de riego auto-gestionarios

Una publicación del
Centro Internacional para la Auto-Gestión

Diseño de instituciones para sistemas de riego auto-gestionarios

Elinor Ostrom

Traducción de Adriano Miguel Tejada,
con la colaboración de Miguelina Ureña

ICS PRESS

Institute for Contemporary Studies
San Francisco, California

Este libro es una publicación del Centro Internacional para la Auto-Gestión que se dedica al estudio de instituciones de auto-gestión. El Centro está afiliado al Institute for Contemporary Studies (ICS), una organización apartidista, sin fines de lucro, dedicada a la investigación de política pública. Los análisis, conclusiones y opiniones expresados en las publicaciones de ICS Press son los de los autores y no necesariamente los del Instituto o sus funcionarios, directores u otros asociados con sus trabajos o con el financiamiento de éstos.

Las preguntas, pedidos de libros y solicitudes de catálogos pueden ser dirigidos a ICS Press, Institute for Contemporary Studies, 720 Market Street, San Francisco, CA 94102. (415) 981-5353. Fax (415) 986-4878. Para pedidos de libros y solicitudes de catálogo, los interesados pueden llamar sin cargos dentro de los Estados Unidos: (800) 326-0263.

Signatura tipográfica de la Biblioteca del Congreso

Ostrom, Elinor.
    [Crafting institutions for self-governing irrigation systems. Spanish
    Diseño de instituciones para sistemas de riego auto-gestionarios / Elinor Ostrom ; traducción de Adriano Miguel Tejada.
        p.   cm.
    Includes bibliographical references.
    ISBN 1-55815-269-5 (alk. paper)
    1. Irrigation—Developing   countries—Management. I.Title.
HD1741.D4408818   1993
333.91'3'091724—dc20   93-17293
                                                     CIP

CONTENIDO

CUATRO

**Principios de diseño para sistemas de riego
autoorganizados y de larga duración**   **73**

CINCO

PROLOGO

Un sistema de riego autogestionado es un ejemplo sencillo de una empresa pública en la cual un segmento de la sociedad se gobierna *en su propio provecho*. Mediante un acuerdo conjunto sobre la forma en que se racionará el agua, se distribuirán las responsabilidades de mantener un sistema de riego, y se aplicará y se corregirá un esquema de reglas de este tipo para mantenerse de acuerdo a condiciones variables, los suministradores y usuarios de agua pueden diseñar instituciones sociales y políticas que aumentarán la capacidad de respuesta, la eficiencia y la autosostenibilidad de los beneficios en los proyectos de riego.

Con demasiada frecuencia, a la hora de decidir la forma en que se distribuirá el agua, los planificadores olvidan consultar a las personas que estarán más directamente involucradas en la operación de un sistema de riego. Muy a menudo, los planificadores no se aseguran de que los usuarios, que generalmente comparten la responsabilidad del mantenimiento de los canales, las presas de derivación y otras instalaciones, compartan tales responsabilidades en proporción a los beneficios que reciben del sistema. El resultado es que tanto los suministradores como los usuarios reciben "incentivos adversos" para desdeñar las inflexibles regulaciones y obtener ventajas personales que merman los beneficios del riego de sus compañeros usuarios.

Aplicando el análisis institucional a sistemas de riego grandes y pequeños en todas partes del mundo, Elinor Ostrom argumenta que las reglas que gobiernan la forma en que los usuarios interactúan entre ellos y con los que administran el riego son tan importantes para el éxito de un programa como unas instalaciones de ingeniería bien construidas.

Ella describe los trabajos de varias instituciones de riego autoorganizadas—muchas de las cuales han funcionado por cientos de años—en las que los suministradores y los consumidores han desarrollado conjuntamente "reglas en uso" que guían la operación de sus sistemas y sus responsabilidades individuales hacia los mismos. Explica la forma en que tales instituciones son el resultado en un deseo progresivo por parte de los usuarios del agua de invertir mano de obra y recursos para el mantenimiento de los sistemas de riego— un buen indicador, ella asegura, de que han notado que los beneficios de tales empresas son mayores que los costos.

A partir de su análisis, la profesora Ostrom ha compilado una serie de "principios de diseño" que pueden ser aplicados con éxito por individuos y comunidades que busquen diseñar instituciones autogestionadas, tanto para sistemas de riego como para otras empresas de bien común. Estos principios ofrecen una alternativa fascinante, tanto frente a la "privatización" como a la administración burocrática, y la esperanza de que facultar a las comunidades para su propio gobierno, como ha sido históricamente comprobado, puede orientar el diseño de nuevas instituciones de auto-gestión.

Robert B. Hawkins, Jr., Presidente
Institute for Contemporary Studies

PREFACIO

Este informe está dirigido a individuos asociados con organismos gubernamentales nacionales, regionales y locales, organizaciones donantes, instituciones locales, asociaciones de voluntarios, asociaciones de campesinos y de usuarios de agua, así como a analistas interesados en el riego y el desarrollo. El propósito es presentar un enfoque para el diseño de instituciones de riego. El suministro y uso de agua de riego implica un juego de actividades complejas e interrelacionadas que se conectan en el tiempo y en el espacio. Intentar controlar y utilizar un recurso fluido en constante movimiento es un desafío permanente. Si se logra, no sólo se puede aumentar la productividad agrícola, sino que también será posible que los proyectos de usos múltiples produzcan energía eléctrica, control de las inundaciones, navegación y recreo. También se crea un potencial de destrucción inmenso cuando se retienen, de forma artificial, grandes cantidades de agua.

La mayoría de los estudios sobre riego se concentran en la creación de capital físico en la forma de presas, acueductos, embalses de distribución y canales. El desarrollo de instalaciones físicas es, por supuesto, un paso necesario para incrementar los beneficios. Pero no todos los sistemas de riego de tecnología avanzada han producido los beneficios previstos. Muchas inversiones fallidas han resultado del fracaso institucional. Más aún, muchos esfuerzos futuros estarán orientados a mejorar la ejecución de sistemas existentes, y no a la construcción de sistemas nuevos. Por lo tanto, aunque es esencial entender el aspecto físico de los sistemas de riego, en el diseño de sistemas nuevos o rehabilitados se pondrá mucha atención en el aspecto institucional.

Este estudio se enfoca en el capital social en la forma de reglas y normas de comportamiento que controlan el modo de interactuar de los individuos. La conjugación del capital social (reglas en uso) con el capital físico (obras de ingeniería) afecta la cantidad de tierra que se irriga, el volumen de agua que se provee para uso productivo, la cosecha obtenida y la distribución de los beneficios y costos directos e indirectos. Estos se pueden evaluar utilizando una variedad de criterios que incluyen (1) permanencia en el tiempo, (2) eficiencia económica, (3) equidad de distribución, (4) responsabilidad de los funcionarios, (5) adaptabilidad a circunstancias variables, y (6) efectos positivos y negativos sobre el ambiente.

La tesis central es que la creación de instituciones es un proceso progresivo que debe implicar directamente a los usuarios y a los suministradores de un sistema de riego a través de todo el proceso de diseño. El término "diseño" hace énfasis en el aspecto artesanal que implica la formación cuidadosa de instituciones que conjuguen las especiales combinaciones de variables presentes en cualquier sistema *y que también* se puedan adaptar a los cambios de estas variables a través del tiempo. Dar participación directa en este proceso a los usuarios y proveedores contribuye a mantener las instituciones adecuadas al ambiente físico, económico y cultural particular de cada sistema.

Este informe es el producto del Proyecto Descentralización: Financiamiento y Gerencia, patrocinado por la Oficina de Desarrollo Rural e Institucional de la División para la Ciencia y la Tecnología (S&T/RD) de la Agencia de los Estados Unidos para el Desarrollo Internacional (USAID). Associates in Rural Development, Inc. (ARD) es el contratista principal del proyecto bajo el contrato No. DHR-5546-Z-00-7033-00 de la USAID, y se han celebrado subcontratos con el Programa de Estudios Metropolitanos de la Maxwell School of Citizenship and Public Affairs en la Universidad de Syracuse y el Taller sobre Teoría Política y Análisis de Políticas en la Universidad de Indiana. Este informe es un anexo de uno anterior titulado *Institutional Incentives and Rural Infrastructure Sustainability,* escrito por Elinor Ostrom, Larry Schroeder y Susan Wynne. Muchas de las ideas desarrolladas en ese informe se presentan ahora desde la perspectiva de cómo ellas afectan el proceso de diseño de instituciones de riego. Estoy profundamente agradecida a Larry Schroeder y a Susan Wynne por sus ideas y por los estimulantes intercambios que tuvimos al preparar el estudio más extenso. Este informe también está basado en mi obra *Governing the Commons* (1990), que enfoca sistemas de riego organizados localmente así como otras fuentes de abastecimiento común en diferentes partes del mundo. Reconozco además la ayuda de Patty Dalecki, Gina Davis y Sue Jaynes así como también los comentarios hechos a borradores anteriores por Roy Gardner, Ronald Oakerson, Vincent Ostrom, Larry Schroeder, Louis Siegel, S. Yan Tang y James Thomson.

RECONOCIMIENTOS

La traducción al español de *Diseño de instituciones para sistemas de riego autogestionarios* ha sido posible gracias a los esfuerzos y la generosidad de varias personas e instituciones. ICS Press y el Centro Internacional para la Auto-Gestión desean reconocer con agradecimiento sus contribuciones.

En primer lugar, agradecemos la labor del Dr. Adriano Miguel Tejada ex decano de la Pontificia Universidad Católica Madre y Maestra (PUCMM), en la República Dominicana, quien tradujo el libro del inglés. El Dr. Tejada es un abogado y profesional de las ciencias políticas cuyas áreas de interés incluyen el desarrollo político, la reforma institucional, la política exterior y el derecho constitucional. Es un admirador del trabajo de la Dra. Ostrom y ha expresado que considera un honor haber hecho la traducción.

Asimismo, queremos agradecer al Sr. Ray Rifenburg, Director de la misión de la Agencia de los Estados Unidos para el Desarrollo Internacional en la República Dominicana. La misión proporcionó el financiamiento tanto para esta traducción como para la versión en español del video basado en *Diseño de instituciones para sistemas de riego autogestionarios*. El CIAG reconoce con gratitud todo el apoyo y dirección ofrecidos por el Sr. Rifenburg y la misión.

Deseamos agradecer además a Jan D. Gibboney Technical Translators por su revisión del manuscrito de este libro y por la corrección de las pruebas finales. El Sr. Gibboney ha trabajado en varios proyectos de traducción para el CIAG y siempre ha sabido producir traducciones claras y fieles que están a la altura de los retos y captan los matices de los tratados sobre auto-gestión.

Finalmente, pero de la manera más especial, agradecemos a la Dra. Ostrom por los trabajos de investigación originales y por la posterior elaboración del libro. A través de su trabajo, la Dra. Ostrom nos enseña que el capital humano es tan importante, si no más importante, que el capital físico—y que el desarrollo sostenible depende de ambos.

NOTAS SOBRE LA AUTORA

ELINOR OSTROM es codirectora del Taller sobre Teoría Política y Análisis de Políticas y titular de la cátedra "Arthur F. Bentley" de Ciencias Políticas de la Universidad de Indiana, en Bloomington. Es autora de *Governing the Commons,* coautora con Robert Bish y Vincent Ostrom de *Local Government in the United States,* y coeditora con Richard Kimber y Jan-Erik Lane del *Journal of Theoretical Politics.*

SIGLAS Y ABREVIATURAS

ARD Associates in Rural Development, Inc.

USAID United States Agency for International Development
(Agencia de los Estados Unidos para el Desarrollo
Internacional)

GAO United States General Accounting Office
(Oficina General de Contabilidad de los
Estados Unidos)

ANR Administración Nacional del Riego
(National Irrigation Administration)

ARTI Agrarian Research and Training Institute
(Instituto para la Investigación y la Capacitación
Agraria)

Riego, instituciones y desarrollo

*El desarrollo del riego debe abordar los interrogantes en torno a la
gestión y hacer uso de recursos humanos, así como de recursos y
procedimientos de otra índole, para formar instituciones y organizaciones
apropiadas, además de tecnologías de riego apropiadas.*
                                                              —E. Walter Coward, Jr.
                                    Irrigation and Agricultural Development in Asia

Inversiones en riego y productividad agrícola en países en desarrollo

En las décadas de 1950 a 1980 se aumentó casi tres veces el total
del área agrícola irrigada en todo el mundo (Cernea, 1985: 23). El
drástico aumento en la cantidad de comida producida, particularmente en los países en desarrollo, es el resultado de la expansión
de las tierras bajo riego, el desarrollo de nuevas variedades de granos
de alto rendimiento, y la disponibilidad de otros factores de
producción agrícola. En muchos países, como la India, Indonesia,
Pakistán, las Filipinas, Sri Lanka y Tailandia, el factor que más ha
afectado la cantidad de arroz producido ha sido la cantidad de tierra
irrigada (Dhawan, 1988: 13–15; Carruthers, 1988: 9; Madduma
Bandara, 1977: 298–301).[1] La expansión del riego ha "contribuido
entre un 50 y un 60 por ciento al incremento masivo de la producción
agrícola en los países en desarrollo entre 1960 y 1980" (Crosson y
Rosenberg, 1989: 130).

El aumento de la producción agrícola en los países en desarrollo
fuera de Africa es el resultado de cuantiosas inversiones en proyectos

de riego a gran escala por organizaciones donantes y países anfitriones, así como de inversiones en nuevos adelantos y técnicas agrícolas.[2] Solamente el Banco Mundial concedió préstamos de más de US$11.000 millones para proyectos de riego y drenaje entre 1947 y 1985 y prestó otros US$7.500 millones para proyectos de desarrollo en zonas que, con frecuencia, incluían actividades de riego de gran envergadura.[3] El 13 por ciento de los préstamos otorgados por el Banco de Desarrollo de Asia durante la década de 1970 estuvieron relacionados con proyectos de riego (Oficina General de Contabilidad, 1983: 2). Algunos proyectos individuales resultaron bastante costosos. El proyecto de Rahad en el Sudán, por ejemplo, costó a las organizaciones donantes y al gobierno de Sudán US$400 millones.[4] El enorme proyecto de Mahaweli en Sri Lanka fue concebido para desarrollar o mejorar el suministro de agua a 900.000 acres de tierra y a más de 200.000 nuevos pobladores (Jayawardene, 1986: 79). Acuerdos de ayuda bilateral facilitaron préstamos y ayuda para la importación de insumos al proyecto de Mahaweli de por lo menos US$365 millones (en moneda estadounidense de 1982), sin obligación de pago (Ascher y Healy, 1990: 100).

La falta de sostenibilidad de muchos proyectos de riego a gran escala

Aun cuando la inversión masiva en obras de riego ha generado aumentos en el rendimiento agrícola,[5] muchos proyectos de riego a gran escala no han sido económicamente sostenibles; esto es, después de que el proyecto ha finalizado, los costos netos exceden los beneficios netos. Los fracasos tienen lugar cuando los costos son mayores que los beneficios. Una de las formas en que el Banco Mundial y otras organizaciones donantes determinan sus aportes económicos es evaluando si el rendimiento económico es por lo menos igual o mayor que el costo de oportunidad del capital (Cernea, 1987: 3). Utilizando estos parámetros, muchos proyectos de riego a gran escala han generado resultados operativos decepcionantes (ver, por ejemplo, Banco Internacional de Reconstrucción y Fomento, 1985). La valoración costo-beneficio del proyecto original de Gal Oya en Sri Lanka, por ejemplo, mostró que los costos no tomados en cuenta superaban a los beneficios recibidos en 277 millones de rupias (US$51.25 millones en moneda estadounidense de 1957) (Harriss, 1984: 318). En muchos otros proyectos, los costos reales han excedido de manera tan significativa a los proyectados que el sostenimiento económico del proyecto es improbable. Los costos de las obras de riego para el Proyecto de Riego de Jamuna, en la India, por ejemplo, ascendieron a 69.80 millones de rupias (US$9.07 millones en moneda estadounidense de 1969), en comparación con el costo estimado del proyecto de 39.60 millones (US$5.15 millones en moneda estadounidense de 1969) (Ascher y Healy, 1990: 147).

La falta de una infraestructura para obras de riego sostenibles en muchos países en desarrollo ha sido atribuida a diferentes causas. Uno de los problemas ha sido una tendencia falsamente optimista en el análisis inicial de costo-beneficio (Pant, 1984: xvii). Tras ese optimismo existen varios prejuicios sistemáticos que frecuentemente se presentan en la planificación inicial de proyectos de riego de gran tamaño. El área a irrigar (o a recibir agua en una segunda estación de siembra) es frecuentemente mucho mayor en el proyecto inicial de lo que resulta en la práctica. Por ejemplo, el área realmente irrigada en el proyecto de Uda Walawi, en Sri Lanka, cubrió solamente una tercera parte de la prevista cuando se aprobó el financiamiento para el proyecto. Mucha de la tierra que los planificadores supusieron que produciría dos cosechas ha generado únicamente una cuando ya se disponía de agua. Para 1974, en el proyecto Jamuna, sólo el 31 por ciento del área proyectada para recibir el servicio fue irrigada cuando se completaron las obras de cabecera, las obras de derivación y los canales de distribución (Ascher y Healy, 1990: 143).

Otro problema sistemático que conduce a estimar beneficios extraordinariamente optimistas es la sobrevaloración del rendimiento agrícola que se obtendrá. La realmente obtenida *después* de la realización de un proyecto a veces ha sido menor o más inestable de lo previsto. Mehra (1981) informa que la inestabilidad de las cosechas, después de la construcción y puesta en marcha de sistemas de riego importantes en la India, más bien aumenta que disminuye. Levine (1980: 55) declara que los regadores iraníes que utilizan un sistema tradicional con instalaciones mínimas han sido capaces de conseguir eficiencias en el uso del agua (el agua librada a las compuertas de entrega a nivel de campo como porcentaje del agua suministrada a las tomas de distribución) de aproximadamente el 25 por ciento antes de la construcción del Proyecto Piloto de Riego de Dez. Este proyecto era "un sistema de amplia cobertura, con una gama completa de controles, estructuras de medición, estructura orgánica y los demás equipos de un sistema moderno grande". Seis años después de terminado el proyecto de Dez, el porcentaje de eficiencia del uso de agua en el área había bajado a un nivel entre el 11 y el 15 por ciento. Bromley (1982) informa de reducciones similares en la eficiencia del uso de agua en importantes proyectos en toda Asia.

Otra de las principales razones por las que los proyectos de riego han carecido de apoyo es la baja inversión en costos ordinarios relacionados con la operación y mantenimiento de los sistemas. Un estudio del Banco Mundial de 48 proyectos de riego construidos recientemente muestra que los gastos de operación y mantenimiento estaban en el nivel acordado con los gobiernos anfitriones en sólo la mitad de los proyectos. "Muchos de éstos estaban claramente en vías de constituirse en otros ejemplos más de los ubicuos proyectos de rehabilitación" (Carruthers, 1988: 9). En 1983, la Oficina General de Contabilidad de los Estados Unidos (GAO) realizó una encuesta sobre los proyectos de riego financiados por la USAID en Indonesia, Sri Lanka y Tailandia y encontró a muchos de ellos en malas condiciones debido a que no se habían realizado las actividades de operación y mantenimiento (GAO, 1983). El mismo informe señala que en cada uno de estos países se retrasaban las rutinas de mantenimiento hasta que los sistemas estaban en una condición de deterioro suficiente como para requerir obras de rehabilitación, financiadas en gran medida por organizaciones donantes. La GAO llegó a las siguientes conclusiones:

> Una razón básica de esto es un inadecuado financiamiento de los gastos de operación y mantenimiento diario o costos ordinarios. . . . Los fondos de operación y mantenimiento deben provenir de los países anfitriones, los usuarios del sistema u organizaciones donantes, a través de una asistencia adicional o redirigida. Los presupuestos de los gobiernos anfitriones han sido inadecuados y las contribuciones de los usuarios no se han cobrado con regularidad. Los donantes normalmente restringen su compromiso financiero al diseño y construcción y conciben la supervisión de la operación y mantenimiento como responsabilidad del país anfitrión. (GAO, 1983: 6).

El informe contenía los siguientes hallazgos específicos:

- En el Proyecto de Riego de Luwu, de Indonesia, era evidente que no se había realizado ningún mantenimiento de rutina.

- En las localidades de los subproyectos de Obras Rurales de Indonesia, encontramos graves daños de erosión en los bancos de los canales. Además, había lodo y crecía la maleza, lo que puede con el tiempo reducir el flujo del agua. Había señales de vandalismo en todos los sitios del subproyecto de Sederhana que se visitaron.

- En el Proyecto de Riego de Mahaweli, de Sri Lanka, vimos muchos ejemplos de una pobre actividad de operación y mantenimiento, incluyendo el crecimiento de maleza en los canales y más evidencia de vandalismo por parte de los campesinos.

- En Tailandia, en los tres proyectos de riego vimos lodo y maleza en los canales y hoyos y grietas en las paredes de hormigón de los mismos. Los pequeños problemas, desatendidos, crecen hasta que finalmente se necesitan reparaciones grandes. (GAO, 1983: 6–7).

Incentivos adversos

Tras todos estos problemas existe una variedad de incentivos adversos. Estos conducen a la sobreestimación de los beneficios para los productores y consumidores de productos agrícolas, a la subestimación de los costos de mantenimiento de los proyectos de riego, y a una subinversión efectiva en las actividades de operación y mantenimiento en los países en desarrollo. Los ingenieros de obras, por ejemplo, tienen que afrontar fuertes presiones para concentrarse en el diseño de las estructuras físicas, mientras se ignora la infraestructura social, y para concentrarse en proyectos grandes antes que en proyectos pequeños. Los campesinos que trabajan en proyectos a gran escala tienen que enfrentar a estímulos adversos relacionados con su falta de control sobre la disponibilidad de agua y la tentación de dejar de colaborar con recursos para su mantenimiento.

Los planes iniciales de muchos proyectos importantes de riego en países en desarrollo se han concentrado, casi exclusivamente, en los diseños de ingeniería para los sistemas físicos. La distribución del agua a los campesinos y el mantenimiento subsecuente son aspectos que con frecuencia no han sido atendidos (Chambers, 1980; Bottrall, 1981).[6] En el proyecto Mahaweli de Sri Lanka, la planificación se concentró exclusivamente en el sistema físico, ignorando las cuestiones de organización.

> Los planificadores supusieron que los campesinos, en cada jornada, se organizarían entre ellos mismos para lograr una distribución equitativa del agua asignada a cada uno, así como que mantendrían, por cuenta propia, los canales y las estructuras de riego. (Jayawardene, 1986: 79).

El prejuicio de los ingenieros rápidamente crea incentivos adversos para los regadores. Una evaluación del proyecto de Mahaweli, cinco años después de su finalización, encontró que sólo la mitad de los campesinos que recibían el servicio lo hacían a través de tomas de canal autorizadas (Corey, 1986). La otra mitad obtenía el agua a través de tomas ilegales o del desagüe de otros campos. En vez de seguir los sistemas de rotación regular, los campesinos bloqueaban o abrían los diques y las tomas tratando de conseguir asignaciones mayores que las autorizadas. Algunas veces, los agricultores ubicados corriente arriba pudieron conseguir el total del flujo de agua de un canal de riego. Corey describió el siguiente incidente:

> En un caso, se observó una brecha no autorizada por donde se desviaba el total del abastecimiento de agua de un canal. El agricultor ubicado aguas abajo en el canal no podía conseguir agua para irrigar su parcela, aun después de acudir al líder de los campesinos. Cuando se le preguntó por qué no cerró la brecha él mismo, respondió que temía ser agredido por el hombre que la había abierto. Cuando se le interrogó al líder de los campesinos sobre por qué permitió que ocurriera esto . . . explicó que temía actuar por iniciativa propia y ser "magullado" por el agricultor infractor. (Corey 1986).

Incidentes como éste ocurren con frecuencia en los proyectos de riego de gran escala. "Las prácticas comunes incluyen la construcción ilegal de tomas, ruptura de candados, extracción de agua durante la noche, sobornos, amenazas, y otras acciones orientadas a persuadir a los funcionarios a asignar más agua" (Chambers, 1980:

43). La falta inicial de atención a problemas como éstos conduce a una incertidumbre en el reparto de agua y en los derechos a recibirla. Con estas inseguridades, los campesinos se ven cada vez menos dispuestos a probar nuevas variedades de semillas o a adoptar los programas asociados de siembra. La imprecisión en la disponibilidad de agua también les lleva a evitar hacer inversiones en la construcción y mantenimiento de canales de campo.

Uno de los prejuicios que ha caracterizado a gran parte de la planificación de los proyectos de riego en países en desarrollo ha sido suponer que los proyectos grandes producen mayores beneficios. Sin embargo, existe considerable evidencia que indica que los proyectos más pequeños—obras de riego menores—ofrecen mejores resultados que los proyectos más grandes. Hace una década, Roy (1979) evaluó el progreso de la Revolución Verde en el norte de la India e identificó a los pequeños sistemas de riego como el factor más importante que condujo a los aumentos más notables de productividad. Después de un análisis que recoge las experiencias con obras de riego en Africa, Moris y Thom (1990) concluyen que son posibles rendimientos más altos en proyectos a pequeña escala.

Muchos factores contribuyen a apoyar los proyectos de riego grandes. Es posible que los campesinos mismos los favorezcan porque creen que se les facilitarán a menores costos. El agua proveniente de proyectos a gran escala está, con frecuencia, altamente subvencionada (si no es gratis). El apoyo de los campesinos al agua de bajo costo es comprensible. Los proyectos que apoyan el crédito a campesinos para la renovación de proyectos a pequeña escala asignan el riesgo a éstos más que a la organización donante o al gobierno anfitrión. Aunque la esperanza de obtener beneficios gratis hace que los agricultores apoyen los proyectos a gran escala, los mismos apoyarán los proyectos pequeños si no hay otras perspectivas.

Los colonos de algunos sistemas de riego grandes tienen tan poca oportunidad de elegir qué productos sembrar, cómo utilizar la tierra, qué insumos comprar y cuándo vender sus cosechas, que el rendimiento es uniformemente más bajo de lo previsto. Los colonos normalmente procuran encontrar trabajo fuera del proyecto en vez de dedicar sus esfuerzos a aumentar el rendimiento agrícola. Por ejemplo, el proyecto masivo de Gezira (882.000 hectáreas), en el Sudán, delimitó 102.000 propiedades en las que los ocupantes no recibieron ninguna autoridad a nivel decisorio en cuanto al uso de la tierra (Barnett, 1977). Hasta 1980, se estuvo utilizando un sistema de cuenta conjunta en este y en casi todos los proyectos de riego en el Sudán. Con el método de cuenta conjunta se estuvo deduciendo de los ingresos del algodón una cuota desproporcionada para cubrir los costos operativos del sistema (que incluían los costos de otros productos agrícolas, además del algodón). Los campesinos recibían entonces unos ingresos basados en una fórmula determinada sin tomar en cuenta la productividad individual. Con estos incentivos adversos, no es de sorprender que el nivel de productividad del algodón empezara a bajar progresivamente; los campesinos se sentían inclinados a cultivar otros productos diferentes del algodón y, al mismo tiempo, a conseguir empleo fuera del proyecto. En la actualidad, aún después de la adopción de una cuenta individual que paga a cada agricultor por la cantidad de algodón recolectada en la parcela asignada, más de la mitad de la mano de obra requerida por el proyecto proviene de inmigrantes (Plusquellec, 1990: 33).

En los países en desarrollo, los políticos pueden conseguir más apoyo electoral al anunciar nuevos proyectos que cubran grandes áreas y que sirvan a muchos individuos, que al ofrecer programas de crédito que ayuden a muchos sistemas de riego a pequeña escala a mejorar sus instalaciones o ampliar sus áreas de servicio en pequeñas cantidades. Los ejecutivos de las organizaciones de asistencia se sienten profesionalmente estimulados a promover proyectos que ofrezcan agua al mayor número posible de campesinos y a las mayores extensiones de tierra posible. Este estímulo da como resultado la ayuda de la organización para proyectos grandes y una tendencia a exagerar en los registros oficiales el área que realmente recibirá servicio a través de los proyectos a gran escala.

La necesidad de organizar a los campesinos

Los persistentes problemas con el diseño, construcción, operación, administración y uso de los proyectos de riego han llevado a los organismos donantes y a los gobiernos nacionales a revisar el énfasis otorgado a aspectos de ingeniería en la planificación de obras de riego y a subrayar la importancia de organizar a los campesinos para que hagan el uso más eficaz de la inversión de capital. El Banco de Desarrollo de Asia fue de los primeros en apoyar la organización de los campesinos:

El éxito de un proyecto de riego depende, en gran medida, de la participación y cooperación activa de los campesinos a nivel individual. Por lo tanto, deberían organizarse grupos, tales como asociaciones de campesinos, preferiblemente por iniciativa propia o, en casos de necesidad, con la ayuda inicial del gobierno, para ayudar a alcanzar los objetivos del proyecto de riego. Los técnicos del riego, por sí solos, no pueden operar y mantener el sistema satisfactoriamente. (Banco de Desarrollo de Asia, 1973: 50).

Una década más tarde, la USAID patrocinó un equipo de evaluación para realizar una revisión global, a nivel mundial, de los proyectos de riego. Este equipo concluyó que "con demasiada frecuencia el esfuerzo se inicia con la construcción de acuerdo con los planos originales, ignorando completamente las dimensiones sociales, institucionales y administrativas" (USAID, 1983: 90). El equipo solicitó que se organizara la participación de los campesinos en cuanto a la ubicación, financiamiento y mantenimiento de los sistemas de riego a gran escala.

Al mismo tiempo, el estudio de la GAO de 1983 destacó la necesidad de obtener la cooperación de los campesinos en la mayoría de los proyectos de riego grandes, debido al gran número de pequeños campesinos que se beneficiaban de los proyectos de riego en los países en desarrollo. "Sin una cooperación estrecha", señaló el informe de la GAO, "algunas fincas recibirían más agua de la que necesitan, otras tendrían que pasar sin ella, y el mantenimiento rutinario no sería compartido equitativamente entre los que reciben los beneficios del riego" (GAO, 1983: 36). Este informe recomendó el establecimiento de asociaciones de usuarios de agua que pudieran hacerse cargo de la mayor parte del mantenimiento rutinario de los canales de distribución y que expresaran las necesidades e intereses de los campesinos ante los funcionarios del proyecto. En la década de 1990, las organizaciones donantes se están preocupando de que los proyectos de riego impliquen mayores esfuerzos por organizar a los campesinos para el desarrollo de planes de rotación distribución de agua, eficaces así como para el mantenimiento de las obras de riego a nivel de campo.

Ahora se está haciendo énfasis en la organización de los campesinos en los documentos escritos por las organizaciones donantes, los gobiernos anfitriones y los expertos en desarrollo (ver Brown y Korten, 1989). Se han escrito algunos relatos de éxitos notables. El establecimiento de organizaciones campesinas eficaces en el Proyecto de Riego de San Lorenzo, en Perú, contribuyó a aumentar sustancialmente la productividad agrícola. Los campesinos de esa zona han asumido la responsabilidad de la asignación del agua y del mantenimiento de los canales. Desde entonces, el mantenimiento del sistema ha mejorado. Los beneficios del proyecto se mantienen constantes aún mucho después de terminado el proyecto (Cernea, 1987).

Se consiguieron logros semejantes con el Tercer Proyecto de Riego de México (Cernea, 1987). Este proyecto implica una exitosa revitalización de las organizaciones ejidales, que existían previamente pero que estaban relativamente inactivas. Los miembros de los ejidos continúan aumentando constantemente aún después de haberse finalizado el proyecto. Más de cinco años después de que el proyecto oficial terminara, los campesinos miembros de los ejidos habían triplicado sus ingresos provenientes de actividades agrícolas, estaban asumiendo nuevas funciones empresariales y lograban sostener sus actividades previas. Desafortunadamente, no todos los sistemas de propiedad del gobierno en México han sido tan exitosos como el Tercer Proyecto de Riego.

Además de los proyectos de riego propiedad del gobierno, existen en México cerca de 13.700 sistemas de riego propiedad de los campesinos, llamados unidades de riego, los cuales eran responsables del riego de más de 1.5 millones de hectáreas en 1982. Las unidades "están estructuradas y son operadas como Comunidades de Riego (los campesinos son los propietarios de la infraestructura, la operan como un recurso de propiedad común . . . y las responsabilidades y los beneficios están fuertemente integrados)" (Hunt, 1990: 149). Dadas estas diferencias institucionales entre los sistemas propiedad del gobierno y aquéllos propiedad de los campesinos, la participación en los sistemas de propiedad campesina difícilmente es problemática. "No hay dudas sobre la participación de los campesinos en estos sistemas: Los campesinos administran el sistema, llevan a cabo el mantenimiento y pagan por todas las acciones de operación y mantenimiento" (Hunt, 1990: 150).

Plusquellec (1989) describe el éxito de los esfuerzos del gobierno de Colombia por transferir, de una forma gradual, las responsabilidades de administración a asociaciones de usuarios del agua. Un proyecto de mediana escala en el distrito de Coello—uno de los primeros proyectos que fueron transferidos—ha sido administrado eficientemente desde 1976 por la asociación de usuarios del agua. El sistema está bien mantenido. Los costos de operación y mantenimiento son módicos (US$35 por hectárea en moneda estadounidense de 1989) y están totalmente cubiertos por una cuota de agua que se cobra a todos los campesinos suscritos al servicio proporcionado por el distrito (Plusquellec, 1989: 4). El programa experimental adoptado con mucho éxito por la Administración Nacional del Riego de las Filipinas también ha demostrado que la participación activa de los campesinos en las etapas tempranas de planificación de proyectos y la movilización de los recursos necesarios para la reconstrucción de las obras físicas pueden aumentar su sostenibilidad a largo plazo (Korten y Siy, 1988; ver discusión en el Capítulo 5).

En una evaluación de proyectos de desarrollo importantes que demuestran sostenibilidad a largo plazo, el Banco Mundial hizo hincapié en el papel de las organizaciones campesinas eficaces:

> Una contribución importante para la sostenibilidad provino del desarrollo de organizaciones de base en las que los beneficiarios del proyecto asumieron gradualmente las crecientes responsabilidades de las actividades del mismo durante el período de implementación y, específicamente, después de su finalización.
> . . . Donde prosperaban las organizaciones de base, existían ciertas características inherentes a su crecimiento y a sus relaciones con las actividades del proyecto, incluyendo cierta participación en la toma de decisiones relativas a las actividades del proyecto, un alto grado de autonomía y autosuficiencia, cierto grado de control sobre la administración de la organización por los beneficiarios, y el mantenimiento de un equilibrio entre las actividades del proyecto y las necesidades de los usuarios (BIRF, 1985: 35–36).

En algunas regiones, los campesinos han estado organizados por largos períodos de tiempo, y las organizaciones campesinas existentes son bastante eficaces. Por ejemplo, las asociaciones de usuarios de agua más eficaces visitadas por un equipo de la GAO en 1983 fueron las de los *Subaks* balineses en Indonesia.

Sus sistemas de riego parecen estar bien mantenidos y en excelentes condiciones. Los *Subaks,* en la mayoría de los casos, han diseñado y construido sus propios sistemas; las estructuras religiosas y étnicas forman una parte importante de la asociación; cada *Subak* tenía una sólida estructura organizativa; y se cobraban cuotas para ayudar a operar y mantener el sistema. (GAO, 1983: 38)

Los *Subaks* balineses han sido organizados, a través de los siglos, por los mismos campesinos, sin ninguna orientación por parte de las autoridades centrales. Aunque todos los *Subaks* utilizan los mismos principios generales de organización, hay reglas especiales en cada *Subak* para ajustarse a los problemas específicos en la administración de cada sistema individual (Geertz, 1980). También existen en las Filipinas y en Nepal sólidas instituciones autóctonas de riego, y tienen un índice de sostenibilidad excepcionalmente alto (ver Uphoff, 1986; Coward, 1980; Pradhan, 1989a; Sampath y Young, 1990).

Aunque actualmente se reconoce que la organización de los campesinos es un paso importante para el éxito de los proyectos de riego, muchos proyectos no han sabido promover la formación de organizaciones de base, como las descritas anteriormente. En el Proyecto de Sriramasagar, de la India, por ejemplo, los funcionarios del gobierno se reunieron con los campesinos a mediados de la década de 1970, en miles de tomas de agua, para crear Comités de Cañería que pudieran asumir la responsabilidad de la distribución del agua, la aplicación de las reglas y la resolución de conflictos. Aunque una considerable parte de los campesinos asistieron a las reuniones iniciales, no se logró estimular la creación de ninguna organización comunitaria (Singh, 1983). En el Proyecto Mula, de Maharashtra, se establecieron *Pani Panchayats* en 24.000 hectáreas durante 1985 (Patil, 1986, citado en Chambers, 1988: 90). Pero estas organizaciones de nombre no fueron más que "meros eufemismos" debido a que las reuniones celebradas por las autoridades del proyecto fueron para informar a los campesinos sobre las decisiones administrativas. Al revisar las razones por las cuales estos esfuerzos no lograron organizar a los campesinos, Chambers concluye que los campesinos no pueden ser organizados por "persuasión o decreto" y "sólo participarán si ellos ven que se benefician al hacerlo" (Chambers, 1988: 90; ver también Gillespie, 1975).

Los intentos por desarrollar organizaciones campesinas frecuente-mente se ha concentrado en el diseño, por parte de funcionarios de gobierno centrales, de la estructura base de la organización que luego reconocerán formalmente. Este diseño es, por lo tanto, concebido como un "formato-guía" predeterminado de la forma en que los campesinos se organizarán. En algunos proyectos, los funcionarios han ignorado las asociaciones de riego preexistentes y han reconocido sólo las organizaciones campesinas recién establecidas por ellos (ver Coward, 1985: 33–36). En otros proyectos, en los que los esfuerzos se han centrado en la organización de los campesinos, dichos campesinos se reúnen para cumplir su función de elegir a los funcionarios, pero se les impide cualquier tipo de organización posterior.[7] Los campesinos se resisten a hacer esfuerzos por desarrollar sistemas de distribución del agua y se niegan a participar en el mantenimiento de los canales en el campo. En consecuencia, los funcionarios perciben a los campesinos como intransigentes, irresponsables e irracionales. El fracaso de estos proyectos en alcanzar los niveles de beneficios previstos se atribuye a los campesinos en vez de al diseño de ingeniería o a la falta de un desarrollo institucional eficaz.[8]

El riego en el siglo veintiuno

Si bien las inversiones en obras de riego en la última mitad del siglo veinte frecuentemente han carecido de sostenibilidad, han ayudado a producir el aumento en los índices de rendimiento agrícola necesario para combatir el desabastecimiento masivo de productos para alimentar a la creciente población del mundo en desarrollo. Los niveles de población se han mantenido creciendo con estabili-dad desde 1950, pero el aumento en la productividad agrícola ha sido aún más rápido. A menos que se diseñen muchas más insti-tuciones de riego eficaces en el futuro, es poco probable que el incremento en la producción agrícola continúe superando el aumento en los niveles de población en los países en desarrollo. Será así por varias razones:

- Los sitios de riego de menor costo ya han sido desarrollados en la mayor parte de estos países. El costo de nuevas inversiones en proyectos a gran escala tiende a subir más rápidamente que los precios de los productos agrícolas.[9] Por lo tanto, la proporción de nuevas aguas de riego puestas a disposición de los campesinos a través de proyectos a gran escala se reducirá considerablemente (Yudelman, 1989: 66, 74; Dhawan, 1988: 240; Moris y Thom, 1990: 39–40).

• Mantener los proyectos de riego existentes a su completa capacidad operativa total se hará más costoso, dada la falta de mantenimiento que han recibido durante las últimas décadas (Yudelman, 1989: 68).

• Es poco probable que ocurran incrementos dramáticos en el potencial de rendimiento agrícola en el futuro.

• Ahora se están evidenciando muchos problemas ambientales que son el resultado de inversiones en obras de riego realizadas en el pasado, y la oposición a la construcción de nuevos proyectos de riego a gran escala va en aumento (Yudelman, 1989: 69–73; Moris y Thom, 1990: 33–39; Kaye, 1989: 16).

Como consecuencia de estos problemas, habrá menor inversión en nuevos proyectos de riego en el futuro de lo que ha sido el caso en las últimas décadas.[10] Para llevar más agua de riego a los campesinos en los momentos y lugares idóneos para lograr aumentos en el rendimiento agrícola, habrá que realizar importantes mejoras en la operación y mantenimiento de los sistemas de riego existentes. Un estudio de cuarenta áreas de servicio de riego en Pakistán, por ejemplo, demostró que "podrían ahorrarse 5 millones de pies/acre de la escasa agua existente en Punjab y Sind para su posterior aplicación en el campo, simplemente logrando un adecuado mantenimiento de los cursos de agua de la comunidad local" (Freeman y Lowdermilk, 1985: 107). Aunque pudieran conseguirse algunas mejoras en la operación de los sistemas de riego existentes al perfeccionar las estructuras físicas, en particular las de control, los problemas principales están relacionados con los estímulos a los que se enfrentan los funcionarios y campesinos. Mientras sean pocos los individuos que se sientan motivados a operar y mantener los sistemas de riego en forma eficiente, los aumentos que en efecto se produzcan en el rendimiento agrícola en las áreas que reciben servicio de proyectos de riego a gran escala continuará siendo desalentadora.

La importancia del diseño institucional
y del capital social

En las próximas décadas, el factor más importante en el desarrollo de los sistemas de riego será el diseño institucional—la creación de un conjunto de reglas que puedan ser comprendidas por los participantes en un proceso y con las que estén de acuerdo e inclinados a obedecer. Un diseño institucional incorporado es una forma de *capital social,* definido por James Coleman (1988) como los aspectos de la estructura de las relaciones entre individuos que les permiten crear nuevos valores. El *capital físico* está compuesto por las herramientas, maquinarias y obras físicas que permiten al individuo producir bienes y servicios. El *capital humano* es creado por los "cambios en las personas que traen como consecuencia habilidades y capacidades que les permiten actuar en formas nuevas". El *capital social,* en cambio, es originado "a través de las variaciones en las relaciones entre las personas que facilitan la acción".

> Si el capital físico es totalmente tangible, compuesto de formas materiales observables, y el capital humano es menos palpable, formado por las habilidades y el conocimiento adquiridos por una persona, el capital social es más intangible aún, porque existe en función de las *relaciones* entre las personas. En la medida en que el capital físico y el capital humano faciliten las actividades productivas, el capital social hará lo mismo. Por ejemplo, un grupo dentro del cual existe un alto nivel de confianza y una gran fe es capaz de lograr mucho más que un grupo similar sin esa confianza y sin esa fe (Coleman, 1988: s100–101).

El diseño de instituciones implica crear formas nuevas de relaciones entre los individuos. El proceso de diseño institucional es bastante diferente del diseño de ingeniería. Como lo ha demostrado la experiencia en la organización de campesinos a través de las últimas décadas, dar a las personas proyectos o esquemas organizativos no cambia los incentivos y el comportamiento de esos individuos. Tampoco el problema es tan sencillo como organizar a los campesinos. Muchos incentivos adversos enfrentan a los ingenieros de diseño, firmas de construcción y funcionarios responsables del funcionamiento y mantenimiento de los sistemas de riego. Tanto el fracaso en lograr la sostenibilidad del proyecto como el fracaso en organizar a los campesinos ilustran una falta de comprensión, ampliamente extendida, de cómo se forman las instituciones eficaces a través del tiempo.

Este informe describe un enfoque en el diseño de instituciones de riego que es útil para funcionarios y organizaciones donantes, gobiernos locales y otras instituciones u organizaciones relacionadas con el diseño, operación y mantenimiento de proyectos de riego en países en desarrollo. El diseño de instituciones de riego es un proceso progresivo que requiere la participación directa de los usuarios y los suministradores del agua de riego en el proceso de diseño. En vez de diseñar un plan sencillo para que las organizaciones de usuarios del agua lo adopten en todos los sistemas de riego de una jurisdicción, los funcionarios necesitan aumentar la capacidad de los suministradores y los usuarios para diseñar sus propias instituciones. La participación directa de los suministradores y usuarios ayudará a lograr que las instituciones en desarrollo vayan de acuerdo con el ambiente físico, económico y cultural de cada sistema.

Aunque este enfoque supone que los interesados necesitarán participar en el proceso de diseño, no da por sentado que los buenos diseños institucionales funcionen fluidamente como resultado de una organización espontánea. Los funcionarios gubernamentales y las organizaciones donantes pueden y deben jugar un papel activo para mejorar el proceso de diseño y supervisar los resultados. El rol propuesto para los funcionarios del gobierno central y para las organizaciones donantes es, sin embargo, bastante diferente del propuesto por estudios anteriores, que requerían la creación de muchas organizaciones de usuarios basadas en el mismo diseño institucional.

Las propuestas de reforma serán presentadas al final del Capítulo 5. Pero antes, los Capítulos del 2 al 4 describirán el enfoque general utilizado en el análisis institucional de los sistemas de riego, debido a que es bastante diferente de muchos de los utilizados actualmente en el estudio de los procesos de desarrollo. El Capítulo 2 se concentrará en la importancia de las instituciones como "reglas en uso" en vez de organizaciones solamente de nombre creadas por un mandato legal sin la participación de los interesados. El Capítulo 3 tratará del proceso de diseño de las instituciones. El Capítulo 4 presentará los principios de diseño derivados de un intensivo estudio de sistemas de riego autoorganizados que llevan funcionando desde hace mucho tiempo. Finalmente, el Capítulo 5 enfocará los problemas en la aplicación de dichos criterios de diseño a los esfuerzos por mejorar los sistemas de riego, tanto los de propiedad del estado como los de los campesinos.

Notas

1. La introducción de variedades de alto rendimiento no siempre ha estado asociado en efecto con rendimientos más altos.

2. Hay considerable diferencia entre la mano de obra, la tierra y otros factores de producción agrícola en gran parte de Africa y la mayoría de las demás regiones en desarrollo. La tierra es abundante y la mano de obra relativamente escasa en casi toda Africa. Los esfuerzos por incrementar la producción agrícola mediante proyectos de riego masivos en Africa han tenido bastante menos éxito que los desarrollados en Asia (Moris y Thom, 1990; Binswanger y Pingali, 1988).

3. Calculado a partir de los anexos de Yudelman (1985).

4. El proyecto de Rahad es uno de los proyectos centralizados de gran escala que se han realizado con fondos donados. Una evaluación del proyecto destacó lo siguiente:

> La corporación mantiene un control muy estricto, desde la contratación y el asentamiento de los inquilinos hasta su posible desalojo como consecuencia de su incapacidad para cumplir con las condiciones del contrato. La corporación suministra los insumos agrícolas y procesa y comercializa la producción de algodón. Más aún, a través de sanciones e inspección controlada, la corporación supervisa las decisiones que van a tomar los propietarios y valora todos los costos frente a los beneficios (Benedict et al., 1982: 5).

La evaluación concluyó que la baja eficiencia de producción del proyecto fue el resultado de la "estructura gerencial de arriba abajo" que impedía la transmisión de conocimientos críticos a los agricultores en ejercicio (Benedict et al., 1982: 17).

5. La producción mundial de grano aumentó de 620 millones de toneladas en 1950 a 1.660 millones de toneladas en 1985, y el promedio de rendimiento por hectárea cosechada subió de 1.1 toneladas a 2.6 toneladas (Wolf, 1986: 9).

6. Freeman y Lowdermilk (1985: 96) ofrecen la siguiente apreciación general del proceso de diseño:

> En la mayoría de los sistemas a gran escala, especialmente en Asia, los sistemas de controles aguas arriba se diseñan sin tener en cuenta

los problemas que afrontan los campesinos para asegurar el control local sobre el agua de riego. Los ingenieros han facilitado, tradicionalmente, un sistema de transporte para el agua a través de ríos, canales, estanques y estructuras de derivación. Han supuesto que si el agua fluye en la dirección general de las áreas de demanda, se producirá automáticamente una buena administración del agua a nivel local, simplemente porque era necesaria.

7. David Groenfeldt describe dos sistemas de este tipo, en los cuales existen "líderes campesinos" pero no organizaciones campesinas.

En Kalankuttiya existe un representante de los agricultores que se elige cada tres años; sin embargo, muchos agricultores ignoran quién es esa persona, y los que sí lo conocen raras veces se comunican con él. En Dewahuwa, los agricultores eligen un representante para organizar grupos de *turnout*. Sin embargo, un grupo de *turnout* puede tener hasta 50 agricultores que pueden estar o no estar ubicados en el *turnout*, pueden ser o no ser propietarios de las tierras que cultivan, y pueden conocerse o no entre sí a nivel personal. Los representantes de los agricultores para cada *turnout* se reúnen periódicamente con los funcionarios de riego, pero no sería acertado afirmar que representan el consenso colectivo entre los agricultores en los *turnouts*. (Citado en Colmey, 1988: 4).

8. La frecuencia con la que los campesinos son culpados del fracaso de los proyectos de riego inspiró la siguiente caracterización satírica de las seis fases de desarrollo de un proyecto de riego:

La primera fase se caracteriza por el gran entusiasmo de los diseñadores y la publicidad que dan a sus expectativas. En la segunda fase viene la desilusión, cuando los ejecutores del proyecto descubren que los diseños son tristemente inadecuados. La tercera fase es de pánico, cuando el personal de operaciones descubre que el sistema no funcionará de la manera en que fue concebido. La cuarta etapa se inicia buscando a los culpables; esta etapa se caracteriza por una explosión de insultos contra los diseñadores, ejecutores, operadores y extensionistas. Naturalmente, la quinta fase consiste en culpar a los inocentes, es decir, al campesino que no tuvo nada que ver ni con el diseño, ni con la ejecución, ni con la operación ni con la extensión del sistema. Por lo tanto, los informes concluyen, con tristeza, que los ignorantes y testarudos campesinos continúan destruyendo las estructuras, robando el agua y creando todo tipo de problemas y que, en general, no cooperan con las autoridades del bienintencionado proyecto. La sexta fase es la de evaluación; si el sistema funciona con un 40 ó 50 por ciento de la eficiencia esperada, el reconocimiento y las felicitaciones por el éxito no se dirigen a quienes planificaron el proyecto ni a los ingenieros, técnicos o campesinos, sino a los políticos. (Freeman y Lowdermilk, 1985: 91–92).

9. Yudelman (1989) informa que "los funcionarios del Banco (Mundial) indican que el costo promedio por cada hectárea adicional irrigada para algunos proyectos nuevos ha aumentado de menos de US$1.000 a más de US$5.000 y, en casos contados, incluso ha alcanzado US$10.000".

10. Ian Carruthers (1988) resume un reciente informe de la FAO que estima que la proporción de crecimiento de la agricultura irrigada fue de un 5 por ciento anual en el período entre 1965 y 1975, y que descendió al 1.5 por ciento anual durante la década siguiente.

Las instituciones como reglas en uso

El concepto de las instituciones es crucial al analizar por qué muchas instituciones establecidas para la distribución y el uso de agua de riego crean estímulos adversos que conducen a la falta de sostenibilidad de los proyectos de riego. En la literatura del desarrollo, la expresión "institución" se puede referir a una organización específica en un país en particular, como el Departamento de Riego; puede describir una relación establecida en una sociedad, tal como la estructura familiar (la institución de la familia); o puede denotar las reglas, o normas, que los individuos utilizan para organizar las relaciones específicas entre unos y otros. Este trabajo utiliza el término "institución" en el tercero de estos sentidos: una institución es, simplemente, el conjunto de normas efectivamente utilizadas por un conjunto de personas (*las normas operativas* o *reglas en uso*) con la finalidad de organizar actividades repetitivas que producen resultados que afectan a esos individuos y que podrían afectar a otros. Por lo tanto, una institución de riego es el conjunto de normas para suministrar y utilizar el agua de riego en un lugar determinado.

Las reglas operativas se utilizan para determinar quién debe elegirse para tomar las decisiones en ciertas áreas, qué acciones están permitidas o prohibidas, qué procedimientos se deben seguir, qué información debe o no facilitarse y qué costos y retribuciones se asignarán a las personas como resultado de sus acciones (E. Ostrom, 1986). Todas las normas contienen disposiciones que prohíben, permiten o requieren alguna acción o resultado. Las normas operativas son aquéllas que en efecto son utilizadas, controladas y aplicadas cuando las personas deciden sobre las acciones que llevarán a cabo dentro de marcos operativos o cuando toman decisiones colectivas (Commons, 1957). La ejecución estará a cargo de aquellos sujetos involucrados directamente, de los agentes contratados por ellos, de ejecutores externos, o de una combinación de éstos. Las reglas no tienen ninguna utilidad a menos que las personas afectadas por las mismas conozcan de su existencia, esperen que otros controlen el comportamiento en función de estas normas, y prevean sanciones por la violación de las mismas. En otras palabras, las normas operativas deben ser de conocimiento común, deben ser controladas, y deben ser aplicadas.

El conocimiento común implica que cada participante está informado sobre las reglas y es consciente de que otros también lo están, así como de que éstos asimismo son conscientes de que el participante conoce esas normas.[1] Las reglas institucionales deben ser conocidas, comprendidas y obedecidas (en una alta proporción de ocasiones pertinentes) por más de un solo individuo. En contraste, las normas que un individuo impone sobre sus acciones personales, sin esperar que otros impongan las mismas reglas a sus propias acciones o normas morales, no están incluidas en esta definición.

Las reglas operativas pueden o no parecerse a las leyes formales que se expresan en la legislación nacional, en las regulaciones administrativas y en las decisiones judiciales. Un sistema gobernado por el "principio de derecho" es aquél en el que las leyes formales y las normas operativas van paralelas y se aplican. Aunque las leyes formales son, con frecuencia, una fuente importante de las normas operativas utilizadas en los sistemas de riego, particularmente cuando se sanciona y se controla activamente la observación de estas leyes, éste no es siempre el caso. En algunos sistemas de riego, las reglas operativas utilizadas por los regadores pueden diferir considerablemente de las regulaciones legislativas, administrativas o judiciales (ver, por ejemplo, Wade, 1988). Las reglas operativas pueden simplemente llenar las lagunas en un sistema general de leyes o, en un caso extremo, pueden asignar derechos y obligaciones *de facto* que son contrarios a los derechos y obligaciones *de jure* de un sistema legal formal. Las comunidades de regadores podrían valerse de sus propios arreglos institucionales para lograr ciertos acuerdos que difieran de las reglas formales establecidas por edicto. Debido a que las reglas en uso no son iguales a las leyes o reglamentos escritos, dichas reglas no son un fenómeno directamente observable. Son las *actividades* organizadas por las reglas las que se observan directamente.

Actividades visibles y organizaciones
e instituciones invisibles

Un ingeniero que diseña un nuevo sistema de riego puede verse en una mesa de dibujo, preparando planos. Un distribuidor de agua puede ser observado en un canal, abriendo o cerrando válvulas en las tomas de los campos para permitir el flujo de agua en la forma establecida. Un campesino puede ser visto quitando la maleza de los canales del predio. ¿Son estas actividades organizadas por un conjunto de reglas? Si estas acciones están relacionadas con obras de riego que afectan conjuntamente a un grupo de individuos (en vez de un proyecto confinado a la tierra de una persona), entonces la respuesta es afirmativa. El tipo de preparación que el ingeniero ha recibido antes de iniciar esta actividad, la forma en la que se responsabiliza de diseñar el sistema, el tipo de obras tomadas en consideración, los objetivos y restricciones del proceso de diseño, y la forma en que será retribuido son afectados por las reglas utilizadas en un marco determinado. De modo similar, las reglas en uso afectan las formas en que el distribuidor obtiene su puesto, en que se reparte el agua, y en que el distribuidor obtiene dinero (y otros recursos) de un empleador o de los campesinos. Afectan también la determinación de qué canales son limpiados por los campesinos, y en qué momentos.

La mayoría de las reglas que influyen en el ingeniero de diseño (tales como las relacionadas con su preparación previa) podrían adaptarse a los procedimientos administrativos formales de un ministerio en particular. Sin embargo, si el cumplimiento de estos requisitos formales es constantemente dispensado para personas muy cercanas a funcionarios importantes del gobierno, las reglas en uso difieren de esos requisitos. Otras normas que influyen en el trabajo del ingeniero podrían no aparecer especificadas en leyes formales, sino que habrían evolucionado *in situ*. Por ejemplo, si se solicita la ayuda de organizaciones donantes externos para contribuir económicamente en la construcción de un nuevo sistema de riego, la capacidad para maximizar la cantidad de personas que podrían beneficiarse del sistema pudiera ser un criterio utilizado explícita o implícitamente para evaluar el trabajo de los ingenieros. Por lo tanto, los criterios de diseño influyen en los estímulos de los ingenieros.

De manera similar, las actividades del distribuidor de agua se verán afectadas por un conjunto variado de leyes o procedimientos administrativos formales, así como por muchos arreglos compartidos que han evolucionado localmente en relación con las recompensas por las labores. Algunos de estos arreglos pueden estar en oposición directa a la legislación o procedimientos administrativos formales. Aceptar sobornos por parte de campesinos locales para la distribución de agua generalmente está prohibido en los procedimientos formales de las organizaciones de riego. En algunos organismos, sin embargo, el pago por la entrega de agua es tan rutinario que el precio exacto de los diferentes tipos de servicios que se proveen es bien conocido por todos los campesinos y por la mayoría de los funcionarios que trabajan en la organización (ver Wade, 1982a, 1982b). Finalmente, las actividades supervisadas de limpieza de los canales por parte de los campesinos podrían ser el resultado de un acuerdo entre uno o dos vecinos, mediante el cual cada uno limpiaría el canal adyacente a su propia tierra; esto podría ser parte de un complejo conjunto de acuerdos incorporados dentro de las reglas operativas de una asociación de campesinos.

Las actividades realizadas por el ingeniero, por el distribuidor de agua o por el campesino podrían organizarse en relación con el reglamento de una organización particular, como sería un departamento de riego o una asociación de usuarios de agua. Las organizaciones, al igual que las actividades, frecuentemente son más fáciles de observar y medir que las reglas en uso de una organización. Muchas actividades, en particular las relacionadas con el riego, son el resultado de arreglos multiinstitucionales. El distribuidor de agua puede ser capacitado por un departamento de riego pero recibir su paga de una asociación de usuarios de agua, como ocurre, por ejemplo, en algunos sistemas en Taiwán (Levine, 1980). La mayoría de los sistemas de riego a gran escala incluyen actividades de varias organizaciones diferentes, como organizaciones donantes internacionales, gobiernos nacionales, contratistas privados y asociaciones de usuarios del agua.

Las "reglas en uso" son similares al "conocimiento en uso", en el sentido de que no son observables directamente. Por ejemplo, podemos ver el expediente académico de un individuo para conocer el curso de sus estudios y el número de años de educación que ha completado; sin embargo, no podemos observar directamente el conocimiento real que utiliza en la realización de sus actividades, al igual que no podemos saber con exactitud la fuente de ese conocimiento.

Determinar qué reglas están en uso en un sistema es similar a determinar el "conocimiento en uso". Para evaluar el nivel y tipo de conocimiento que una persona utiliza, necesitamos entrevistar a esa persona y observar la forma en que realiza diferentes tareas. Del mismo modo, para adivinar qué reglas utiliza un conjunto de personas, necesitamos entrevistarlas y ver cómo realizan sus activi-dades. Hacer preguntas y aplicar pruebas (como las pruebas de desempeño) para determinar el nivel y tipo de conocimiento que poseen los individuos son medidas esenciales, aunque imperfectas, del conocimiento en uso. Observar el modo en que las personas solucionan problemas particulares es una mejor forma de evaluación. De la misma manera, la tarea de determinar las reglas utilizadas por los suministradores y usuarios de un sistema de riego no puede ser realizada completamente por una persona ajena al sistema simplemente haciendo preguntas. Juicios más válidos provienen de la observación a largo plazo acerca de la forma en que los individuos que suministran y utilizan el agua de riego realizan actividades organizadas.

En algunos sistemas, puede ser posible observar sucesos o deter-minantes físicos que resultan, en forma directa, de comportamientos que se ciñen a las reglas en uso. Los derechos de propiedad del agua, por ejemplo, frecuentemente se manifiestan de forma física en las presas de derivación utilizadas en los sistemas de riego para liberar el agua a los canales que dan servicio a campesinos determinados (Coward, 1980). En Nepal, por ejemplo, los derechos de propiedad de diferentes participantes en ciertos sistemas de riego en las montañas se ejercen mediante el uso de embalses de madera llamados *saachos* que distribuyen el agua de forma automática (ver Pradhan, 1989a). Los embalses operan para repartir el agua de conformidad con derechos de propiedad específicos. En este caso, determinantes físicos señalan un conjunto de arreglos sobre quién debe recibir qué proporción del flujo de agua de un sistema de riego.

En cambio, la presencia de indicadores físicos relacionados con reglas específicas podría dar una impresión falsa. A principio de la década de 1970, funcionarios del gobierno ejercieron una considerable presión en muchas regiones de la India para establecer sistemas de rotación de agua similares a los sistemas tradicionales *warabandi,* utilizados desde el siglo diecinueve en el noroeste de la India y Pakistán (Chambers, 1988: 92). Se colocaron tableros *warabandi* para facilitar información general acerca del día de la semana y la hora en que se suponía que se suministraría el agua a un campesino en particular. Una inspección casual parecería indicar que se estaba aplicando una regla de asignación que implicaba rotaciones estrictas. En algunos de estos sistemas, sin embargo, los tableros sólo representaban un esfuerzo fallido por imponer reglas ajenas a los campesinos locales. Dos de cada cinco campesinos que recibían el servicio de los sistemas, supuestamente utilizando las "nuevas reglas *warabandi*," no pudieron contestar las preguntas de un encuestador acerca del día y la hora de su propio turno. La cuarta parte de las personas que respondieron no pudieron explicar la forma en que trabajaba el sistema de distribución *warabandi* (Chambers, 1988: 93).

La dificultad en la observación de las instituciones culmina, con frecuencia, en dos errores. El primero es pensar que las reglas en uso son siempre iguales a las leyes o procedimientos formales. El segundo es suponer que no existen instituciones diferentes de las que han sido creadas formalmente a través de actos gubernamentales. Ambos errores reflejan una falta de comprensión acerca de la forma de crear, mantener y utilizar el capital social.

El primer error—suponer que las instituciones son equivalentes, en la práctica, a las descritas en la legislación formal—conduce a una injustificada confianza en la eficacia de cambiar las conductas modificando la ley formal. En una sociedad caracterizada por un alto cumplimiento de las disposiciones legales, las reglas operativas completan los detalles de la legislación general. En un sistema donde no prevalece el principio de derecho, las reglas operativas podrían diferir sustancialmente de la legislación—particularmente de la legislación proyectada por funcionarios ubicados en ciudades capitales muy distantes. Si los analistas suponen, erróneamente, que los individuos automáticamente aprenden, entienden y utilizan las normas contenidas en las leyes formales, la estrategia de desarrollo adoptada se concentrará, principalmente, en las actividades de los congresos nacionales y de los organismos administrativos, prestando poca atención a lo que en efecto ocurre en el campo.

El segundo error—pensar que no existen instituciones si no son creadas por un acto gubernamental—puede conducir a acciones que destruyen las instituciones existentes. Coward (1985) informó que agricultores filipinos, que habían dedicado muchos años a diseñar instituciones locales, descubrieron que los nuevos proyectos de riego, supuestamente diseñados "para su beneficio", destruían el capital institucional esencial que ellos con tanto trabajo habían creado.

¿Por qué son importantes las instituciones?

Si las instituciones son invisibles, ¿por qué son importantes? Existen varias razones. Las instituciones dan forma a las interacciones entre los seres humanos y a los resultados que obtienen los individuos. Las instituciones pueden aumentar los beneficios recibidos de un conjunto fijo de insumos. O, por el contrario, pueden reducir la eficiencia de manera que los individuos tengan que trabajar más para conseguir los mismos beneficios. Las instituciones dan forma al comportamiento humano a través del efecto que ejercen sobre los incentivos.

El concepto de *incentivos* implica más que sólo retribuciones o costos financieros. Los incentivos son los cambios, positivos o negativos, en los resultados que los individuos, según sus propios criterios, consideran probables como consecuencia de acciones específicas que se ejercen dentro de un conjunto de reglas operativas, combinadas con las variables pertinentes a nivel individual, físico y social que también afectan los resultados. Chester I. Barnard, un experto administrativo de gran habilidad y un perspicaz observador de la vida de las organizaciones, proporcionó una apreciación bastante amplia del concepto de incentivos. El describe los incentivos como:

- estímulos materiales—dinero o bienes

- oportunidades de obtener distinción, prestigio y poder personal

- condiciones físicas de trabajo deseables—un ambiente tranquilo y limpio, por ejemplo, o una oficina privada

- orgullo en el desempeño, servicios para la familia u otros, patriotismo o sentimientos religiosos

- comodidad y satisfacción personal en las relaciones sociales

- conformidad con las prácticas y actitudes habituales

- sensación de estar participando en eventos grandes e importantes (Simon, Smithburg y Thompson, 1958: 62)

Los incentivos tienen su origen en múltiples fuentes. Una fuente son los valores internos que los individuos asignan a diferentes resultados y a las actividades necesarias para conseguirlos. Por ejemplo, una persona con una fuerte preferencia por resultados equitativos se integrará en más actividades orientadas hacia la distribución justa.

Una segunda fuente son las variables físicas y tecnológicas que afectan la transformación de actividades en resultados. Sin fuerza animal o mecánica, la cantidad de esfuerzo que se requiere para alcanzar algunos objetivos es tan grande que las personas se encuentran ante un desincentivo al tratar de alcanzar las metas deseadas, tales como construir una presa de distribución permanente. Una nueva tecnología cambia los costos y beneficios relativos, de manera que lo que en un momento se percibió como imposible, podría ser posible.

Una tercera fuente de incentivos son los valores culturales generales compartidos por los individuos de una comunidad. Los ingenieros, por ejemplo, se sienten fuertemente atraídos por los valores profesionales. Los campesinos que utilizan un sistema de riego son motivados por sistemas de valores étnicos, religiosos, de casta, de vecindario y de familia. Si los valores culturales de dos grupos que interactúan difieren de forma importante, estos grupos podrían afrontar incentivos totalmente diferentes, aun cuando sus situaciones físicas sean relativamente las mismas.

Una cuarta fuente de incentivos son las reglas en uso relacionadas con situaciones específicas en las que los individuos, reiteradamente, se encuentran. Las normas que determinan quién tiene los derechos de uso del agua en un sistema particular afectarán los costos percibidos por varios individuos que podrían desear hacer uso de ella. Dependiendo de cuánto se respeten los derechos de acceso y se castiguen las derivaciones ilegales, los que no tengan esos derechos podrían considerar que los costos de infringir las normas son lo suficientemente altos como para desistir de hacerlo. Por otra parte, donde el respeto o las penalizaciones no son eficaces, los que no tengan derechos legales de acceso podrían pagar más para conseguir agua ilegalmente durante la noche, o podrían utilizar otros métodos ilegales y más costosos para adquirir el agua. Si las regulaciones legales que especifican los derechos de acceso no se aplican y si las reglas en uso permiten la entrada libre de todos a un sistema de riego, los costos de acceso para los con autorización formal y para los sin permiso podrían ser idénticos.

De forma similar, las reglas en uso que especifican las acciones que se pueden o no realizar afectan los incentivos de los distribuidores y usuarios en sus actividades diarias. Si se supone que los campesinos rotan el agua a todos los que usan un canal terciario, cada campesino afronta una mezcla de incentivos cuando contempla cuándo y cuánto abrir la toma de agua de sus campos. Los campesinos con siembras de arroz cuyos campos están cerca de los niveles de presión se enfrentan a la tentación de abrir su toma inmediatamente, haya o no llegado su turno. Pero si todos los campesinos abren sus tomas sin coordinación, la cantidad de agua que podrían aplicar conjuntamente a un mismo tiempo a sus campos es menor que cuando se adopta un sistema de rotación organizada. Los estímulos derivados de las reglas en uso deben ser más poderosos que los fuertes incentivos que resultan de la necesidad de mantener húmedas las siembras de arroz. Si los campesinos saben que pueden ser observados por un vecino si violan las reglas de rotación y que su reputación como miembro de confianza de su comunidad se vería manchada como resultado, el costo de infringir las reglas será mayor que si no hay rechazo social asociado a la toma indiscriminada de agua. Si los campesinos saben que todo el mundo está obedeciendo las reglas de rotación y que si no las respetan podrían provocar que otros también las infrinjan, las consecuencias negativas a largo plazo en cuanto a la incertidumbre de la disponibilidad de agua podrían también disuadir a los campesinos de cualquier acción que les pueda traer beneficios a corto plazo pero que les afecte negativamente a plazo más largo.

Los cambios en las regulaciones formales no se convierten automáticamente en cambios en las reglas en uso, y por lo tanto en incentivos. Una nueva regulación que aumentara enormemente el castigo por el uso ilegal de agua podría producir cambios totalmente diferentes de lo previsto en los incentivos: La amenaza de fuertes castigos podría, en efecto, ser utilizada por funcionarios para conseguir sobornos por parte de los equivocados campesinos como pago por hacer la vista gorda ante las infracciones. En consecuencia, la regla en uso podría cambiar de tal forma que el desvío de agua considerado ilegal por las regulaciones formales podría continuar en la práctica por tanto tiempo como se realicen pagos a los funcionarios indicados. Por lo tanto, los incentivos a que se enfrentan los individuos no se pueden determinar leyendo las leyes y regulaciones promulgadas sin examinar la forma en que estas regulaciones son percibidas por los participantes y la forma en que las mismas encajan en el contexto físico, económico y social de un sistema particular.

Las reglas institucionales como capital social

El capital físico es la provisión de recursos materiales que pueden utilizarse para producir un flujo de ingresos (Lachmann, 1978). Para muchos ingenieros, un sistema de riego es equivalente a un capital físico, que consta de fuentes naturales (ríos, manantiales, lagos, reservas de agua subterráneas) e instalaciones construidas (presas, canales, mecanismos de distribución, tomas en los campos). Pero aun el más moderno de los sistemas de riego, con todos sus medidores y mecanismos de distribución automáticos, no puede funcionar indefinidamente sin operadores humanos. Si éstos no obedecen los patrones regulares de comportamiento que son esperados y comprendidos por otros, especialmente los usuarios del sistema, el flujo potencial de ingreso del capital físico se verá severamente reducido y hasta eliminado. Los patrones de comportamiento productivos no se dan automáticamente.

Para conseguir beneficios netos de cualquier sistema de riego, las actividades de las personas deben estar interconectadas con pautas regulares y previsibles. En cualquier empresa pública o privada, las actividades de los individuos pueden agruparse, a grandes rasgos, en dos tipos: de transformación y de transacción (ver E. Ostrom, Schroeder y Wynne, 1990). Las actividades de transformación están orientadas a cambiar el estado de las cosas. Las actividades de transacción están dirigidas hacia (1) la coordinación de las actividades de transformación, (2) el suministro de información, y (3) la adquisición de ventajas estratégicas sobre otros.

Las actividades de transformación y sus costos

En cualquier proyecto de riego a gran escala se necesita hacer una transformación tras otra para lograr llevar el agua de riego desde una gran cuenca de captación hasta las tierras de los campesinos. La Gráfica 1 muestra el flujo en un sistema de riego por canales, como el ilustrado en la publicación *Managing Canal Irrigation,* de Robert Chambers (1988: 36). En cada uno de los numerosos pasos de flujo de agua u otros bienes se requiere cierto tipo de actividad de transformación.

La forma en que se desarrolla esta actividad en cada uno de sus pasos afecta el agua que queda disponible para el paso siguiente y la cantidad de desperdicio que resulta. Algunos ejemplos de actividades de transformación son:

- conducir el agua desde un curso natural hacia un canal construido,

- acoplar una barrera al canal para elevar el nivel del agua, de manera que pueda alcanzar la altura de la toma de agua de un campesino,

- preparar la siembra de arroz para recibir la primera lluvia de la temporada,

- quitar la maleza de un campo sembrado para estimular el crecimiento de lo plantado.

Cuando los ingenieros calculan el grado de eficiencia, se concentran en las actividades de transformación. La eficiencia de una máquina, por ejemplo, es la relación entre la energía producida y la energía usada. Los ingenieros de riego están interesados en la eficiencia técnica de un sistema de riego, expresada por la cantidad de agua que llega a la toma de un campesino con relación a la cantidad de agua que entra en el sistema. Los economistas también se interesan en la eficiencia, pero el concepto de eficiencia de un economista está relacionado con la razón costos-beneficios.

Las actividades de transformación también dependen del capital humano. La destreza que tiene una persona en particular en las actividades de transformación que está realizando es una forma de capital humano. Un campesino, trabajando por sí solo para aumentar la productividad agrícola mediante la canalización de las aguas de un arroyo ubicado dentro de sus tierras, adquiere muchos conocimientos y habilidades a través del tiempo observando la medida en que las distintas combinaciones de cultivos producen más

Gráfica 1   Flujos en los canales de los sistemas de riego

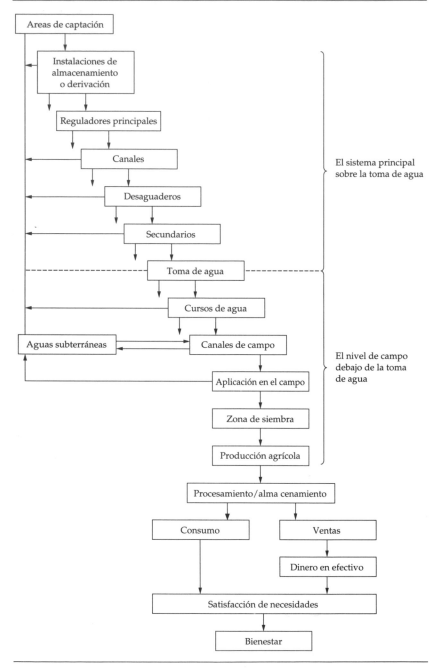

Fuente: Robert Chambers, *Managing Canal Irrigation: Practical Analysis from South Asia* (Cambridge: Cambridge University Press, 1988), pág. 36.

o menos al final de cada temporada. El capital humano, por lo tanto, capacita a un campesino solitario para aumentar el rendimiento de sus inversiones en insumos, tales como semillas, fertilizantes, animales de trabajo o energía mecánica.

Cuando las actividades de transformación requieren el aporte de muchos individuos, no son suficientes un capital físico adecuado y un capital humano considerable para desarrollar con éxito complejas actividades interconectadas. Si la distribución de un flujo de agua grande sin un desperdicio excesivo requiere que varios individuos abran diferentes tomas ubicadas a cierta distancia unas de otras, en un orden secuencial rápido, no es suficiente la destreza de cada individuo en accionar la toma de agua, sino que se necesita también una labor de coordinación. Dicha coordinación se puede lograr (1) aprendiendo a hacer mejor labores conjuntas, (2) asignando a una persona la responsabilidad de dar órdenes a los demás, o (3) estableciendo una regla específica sobre cuándo, cómo y por quien ciertas actividades específicas deben ser realizadas y fijando la forma en que dicha regla ha de ser controlada y aplicada por los participantes, el personal externo de apoyo, o ambos.

Estos tres modos de lograr coordinación son formas de capital social (Coleman, 1986). La primera forma de capital social—aprendizaje compartido—es una habilidad que adquieren las personas que trabajan juntas cuando se sienten motivadas a realizar un buen trabajo. Las otras dos formas de capital social están relacionadas con las reglas utilizadas conjuntamente por los individuos. En la segunda, las reglas asignan autoridad a una persona para dar órdenes a otros. En la tercera, las reglas especifican cómo, cuándo y por quién las actividades serán realizadas. Todas las formas de capital social implican el uso de recursos—por lo menos, tiempo y energía—al llevar a cabo transacciones conjuntamente con otros.

Las actividades de transacción y sus costos

Mientras que las actividades de transformación se refieren a convertir ciertos estados de cosas en otros estados, las de transacción implican coordinar las actividades de aporte, obtener información pertinente sobre la transformación, o tratar de conseguir ventajas desproporcionadas a partir de actividades de transformación. Todas las actividades de transformación que requieren la aportación de muchos individuos implicarán actividades de transacción y, por tanto, costos de transacción. Las actividades de coordinación e información son partes esenciales de todos los procesos dinámicos. Algunas actividades de coordinación son:

- fijar la fecha para el primer despacho de agua desde un embalse, momento en el cual los campesinos deberán estar preparados para hacer uso efectivo del agua librada

- establecer el primer y último día de un ciclo presupuestario y la fecha en que los fondos públicos estarán disponibles para ser desembolsados

- obtener la aprobación de funcionarios y campesinos en cuanto al diseño de un proyecto futuro

- supervisar el trabajo de los obreros que están cavando un canal

- visitar las casas de los campesinos para cobrar las cuotas por uso de agua

Las actividades de información implican

- conseguir información sobre las propiedades hidrológicas de varios tipos de obras de derivación

- investigar el daño producido por una avenida repentina sobre un segmento particular de un canal

Las actividades de transacción son esenciales para realizar las actividades de transformación, pero el costo de aquéllas puede variar drásticamente, dependiendo tanto de las reglas usadas como del ambiente físico. Las reglas que especifican quién coordinará con quién, acerca de qué, y cómo se registrará y se transmitirá la información, afectan el nivel de costo de la transacción. Estas reglas pueden crear incentivos eficaces en la coordinación y distribución de información para la mayoría de los participantes, o pueden originar frustración, demora, retención de la información y conflictos, en lugar de cooperación entre las personas. El ambiente físico en el que trabajan las personas también afecta el costo de estas actividades. Es más costoso comunicarse cara a cara en un sistema de riego grande que en uno pequeño. Los costos de cobrar las cuotas por riego en un sistema grande podrían ser más altos que en un sistema pequeño.[2] En otras palabras, los costos de transacción relacionados con las actividades de coordinación e información pueden ser extraordinariamente altos a menos que los que elaboran las reglas institucionales encuentren mecanismos creativos para mantenerlos bajos.

Aunque estos costos pueden ser elevados, son también extremadamente difíciles de medir con exactitud. Los costos relacionados con las actividades de coordinación e información raramente se conceptualizan o se presentan en forma separada de los vinculados a las actividades de transformación. Los costos de transformación y transacción típicamente se unen en los registros de la mayoría de las organizaciones y se consideran simplemente como gastos de la organización. Aunque algunas organizaciones obviamente dedican muchos más recursos a las actividades de coordinación e información que otras (para cierta cantidad de trabajo producido), es difícil obtener medidas fiables de estos tipos de costos de transacción. Es difícil determinar, por ejemplo, la cantidad de tiempo que realmente dedica el supervisor de un canal a actividades de transformación (abrir y cerrar las compuertas) en contraposición con las actividades de coordinación (programar al personal de trabajo y abrir y cerrar las compuertas). Cuanto más "directivo" sea el puesto, mayor será la relación entre sus actividades y la coordinación y la información, y menor la relación entre aquéllas y la transformación directa.

Un problema mayor es que raras veces las actividades de coordinación e información se combinan de tal modo que puedan sumarse directamente (Alchian y Demsetz, 1972). Un supervisor eficaz podría aumentar la productividad del personal de actividades de transformación; de esta manera, los gastos de una coordinación eficiente podrían ser compensados por unas transformaciones más eficientes. Un supervisor ineficaz podría reducir la productividad de las actividades de transformación del personal; en este caso, los gastos de coordinación conducen a aún más gastos de transformación (pérdidas). Y como si fuera poco, no todos los costos de coordinación o información figuran en los registros de la organización. Si el usuario debe esperar varios meses para recibir respuestas de una organización, o debe proporcionar repetitivamente la misma información a la misma organización, también soporta costos de coordinación e información.

La ausencia de registros para los costos de coordinación e información no los hace menos reales. Grandes cantidades de tiempo, dinero y energía se invierten en estas actividades, y la cantidad global puede ser alterada sustancialmente a través de las reglas en uso y la habilidad de los participantes en las actividades de transacción. Además de las actividades de coordinación e información, existe una tercera clase de actividades de transacción—con sus costos resultantes—que está potencialmente vinculada a todas las relaciones permanentes entre individuos que no comparten la misma información, estímulos, recursos y/o normas sociales. Tales situaciones proporcionan estímulos para que algunos individuos adopten estrategias oportunistas a fin de obtener grandes beneficios a costa de otros. El comportamiento oportunista toma diversas formas. Algunas implican engaño y fraude (Williamson, 1985). Otras no implican necesariamente premeditación, sino simples acciones que mejoran la situación propia a costa de otros. Como expresara Boss Plunkett de Tammany Hall, "He visto mis oportunidades y las he aprovechado" (Riordon, 1963).

Hay tres tipos de actividades oportunistas que se dan en muchos de los sistemas de riego: beneficiarse sin aportar, la caza de rentas y la corrupción. Un ejemplo de las primeras es invertir el tiempo en actividades personales (incluyendo descanso) cuando otros lo están haciendo en actividades conjuntas, como el mantenimiento de un canal que aumentaría el agua suministrada a todos los usuarios. La persona que evade el trabajo[3] mientras otros trabajan recibirá una cantidad desproporcionada de beneficios, debido a que no ha contribuido (o lo ha hecho a un nivel muy bajo) para conseguir esos beneficios. La persona que trabaja mientras que otros no se siente como un "tonto" cuando descubre la evasión. Un ejemplo del comportamiento relacionado con la caza de rentas es tratar de influir en las decisiones tomadas por las organizaciones donantes, gobiernos nacionales o asociaciones locales de riego en cuanto a la ubicación de las instalaciones de riego y las subvenciones otorgadas a las mismas. La persona que caza rentas recibe ingresos desproporcionados por actividades privadas, debido a que el valor de sus activos se ve aumentado artificialmente. Un ejemplo de corrupción es no despachar el agua a los que tienen derecho, a fin de recibir pagos ilegales en dinero, bienes o favores especiales.

La persona que se involucra en la corrupción recibe una ganancia desproporcionada al utilizar su poder sobre la asignación de recursos valiosos para obtener pagos ilegales de otras personas.

Aunque el beneficiarse sin aportar y la corrupción son más o menos bien comprendidos, los no economistas (y aun algunos economistas) con frecuencia malinterpretan seriamente los términos "renta" y "caza de rentas". Debido a que la creación de rentas y la caza de rentas son tan importantes para la comprensión de los estímulos negativos relacionados con las instituciones de riego, es importante aclarar estos conceptos.

Las rentas son beneficios obtenidos por el poseedor de un derecho de propiedad que exceden lo que podría lograrse en un mercado competitivo. "Estas podrían haber sido creadas a propósito; rentas monopólicas, por ejemplo, obtenidos por aquéllos que restringen la competencia en mercados de productos" (Bates, 1987: 35). Las personas también podrían obtener rentas debido a que son lo suficientemente afortunadas para poseer derechos sobre propiedades con ventajas especiales, tales como campos fértiles en áreas con depósitos minerales. La posibilidad de obtener rentas genera estímulos para que algunos deseen conseguir el control sobre propiedades generadoras de beneficios, invertir en actividades a fin obtener subsidios de otros, o excluir a posibles competidores. Estas actividades dedicadas a incrementar los beneficios se llaman "caza de rentas" (Krueger, 1974; Tollison, 1982; Buchanan, Tollison y Tullock, 1980).

Edward Vander Velde (1980) presenta una clara imagen de cómo un nuevo proyecto de riego en la India rural, abastecido por el sistema de canales de Dhabi Minor (una parte del proyecto de Bhakra-Nangal), aumentó el valor de las propiedades cercanas al proyecto y reforzó el ya sustancial poder económico, social y político de los miembros de una casta social alta. El valor de la tierra regable rápidamente llegó al doble del valor de la tierra cultivable seca. La mayor parte de la tierra era propiedad de campesinos de castas altas. Los acuerdos de arrendamiento compartido que se realizaron con los agricultores de castas inferiores fueron en general de la naturaleza más explotadora. Una tercera parte de la producción correspondía al campesino que la cultivaba y se entregaban dos terceras partes al propietario de la tierra—un arreglo de arrendamiento ilegal, aunque practicado frecuentemente (Vander Velde, 1980: 319–21). La fórmula diseñada por la institución estatal de riego para determinar cuánta agua recibiría cada campesino, y la forma en que el sistema realmente operaba, otorgaba a los campesinos más ricos la mayor parte del agua. Como indica Vander Velde (1980: 324–27):

> el desarrollo del riego y los métodos de operación de los sistemas de riego transformaron estas grandes propiedades, que ahora comprenden una mezcla de cantidades de tierra regable de rico valor y tierra seca mucho menos deseable en un activo aún más grande de lo que era. Debido a que la duración de los turnos de riego de los agricultores y, por lo tanto, la cantidad de agua a que tienen derecho, es determinada por el tamaño de la unidad de cultivo en el comando del sistema, existen razones aún mayores para ser propietario de áreas aún más grandes, puesto que así uno maximiza el acceso al recurso más escaso en este medio.

Esta es una descripción de cómo se crean las rentas mediante nuevos sistemas de riego. No es de sorprender la forma en que muchos campesinos ricos invierten tiempo y esfuerzo en tratar de influir en los políticos para que traigan los proyectos de riego a su área. Tampoco es extraño que éstos reconozcan que los favores que hacen a quienes apoyan los proyectos o los subsidios en general son un método de adquirir influencia política adicional.[4] Por desgracia, las grandes oportunidades de ganancia económica y política creadas por el desarrollo de presas a gran escala también han conducido, en algunos casos, a exacerbados conflictos étnicos y religiosos, y aún a crecientes derramamientos de sangre.[5]

Todas las actividades oportunistas producen costos a corto plazo para otros y, potencialmente, a largo plazo para todos los involucrados. A corto plazo, la persona implicada en el comportamiento oportunista desvía los costos a otros. Si este comportamiento es considerado posible, las personas podrían prepararse, adoptando estrategias cautelosas para protegerse contra la explotación (Scharpf, 1990). Sin embargo, cuando todas las personas son cuidadosas y protectoras, podrían perderse muchas oportunidades de ganancias mutuamente productivas. Por tanto, los principales costos del comportamiento oportunista están constituidos por las actividades productivas que no se realizan debido a que los arreglos institucionales y las normas sociales no se han desarrollado para proteger a los individuos contra el oportunismo. Los costos desviados y las oportunidades perdidas son costos reales. Sin embargo, estos costos reales probablemente no se registren de manera regular. Por lo tanto, son más difíciles de medir que los costos de información y coordinación.

Las actividades oportunistas no se discuten frecuentemente en los tratados sobre el riego o sobre los procesos de desarrollo. Algunos estudiosos y expertos prefieren describir el mundo sin referirse a la capacidad humana para la avaricia o para aprovecharse de otros. Estas actividades se discuten ampliamente en este estudio, debido al potencial de pérdidas importantes que pueden resultar del oportunismo. Y no porque se supone que todos los individuos se comportan de un modo oportunista continuamente. Muchos funcionarios públicos no solicitan ni aceptan sobornos, aun cuando estén rodeados de colegas que se involucran abiertamente en prácticas corruptas; muchos individuos desean contribuir con el aprovisionamiento de bienes comunes, incluso cuando sólo unos pocos se les unen en estas actividades; y muchas personas poderosas no tratan de influir en las políticas públicas para que las tierras de su propiedad aumenten de valor o para que los precios que pagan por los factores de producción se reduzcan artificialmente.

Pero a pesar de todas las personas que se abstienen (la mayor parte del tiempo) de asumir actitudes oportunistas, habrá otros que adoptarán ávidamente estrategias oportunistas a la más mínima tentación. La organización de instituciones de riego en gran parte del mundo en desarrollo desafortunadamente origina muchas oportunidades de beneficiarse sin aportar, de cazar rentas y de corrupción. Los costos de suministrar agua de riego son mucho más altos en algunas instalaciones debido a la ocurrencia de estas actividades y a que la distribución de los beneficios del riego frecuentemente está distorsionada.

Cuando las instituciones se diseñan bien, el oportunismo se reduce sustancialmente. Las tentaciones implicadas en el beneficio sin aportar, la caza de rentas y la corrupción no se pueden eliminar totalmente, pero las instituciones pueden ser diseñadas para mantener estas actividades bajo control. A fin de reducir el comportamiento oportunista, las actividades de coordinación, tales como supervisión y castigo, se deben incrementar. Los costos de las actividades de control y sanción orientadas a eliminar *todos* los casos de comportamiento oportunista serían excesivos. El control de los comportamientos oportunistas debe mantener bajas las tentaciones de implicarse en estas actividades, y altas las posibilidades de ser descubierto.

Sólo recientemente los estudiosos y expertos interesados en los efectos de usar diferentes arreglos institucionales para la ejecución de diversas tareas han considerado el importe total de los costos de transacción en las actividades de intercambio y producción. Los modelos utilizados por los economistas neoclásicos para describir el comportamiento del intercambio en los mercados muy frecuentemente eliminan los costos de transacción a raíz de una serie de supuestos y asumen la premisa de que el hecho de ignorar la "fricción" asociada con las actividades de transacción no merma la fuerza y utilidad de sus modelos. En mercados donde los activos y los productos relacionados son homogéneos, y donde interactúan grandes cantidades de personas, los costos de transacción pueden ser ignorados sin mayores perjuicios para la utilidad de los hallazgos. Sin embargo, muchos mercados implican especificidad de activos y cifras pequeñas (Williamson, 1979, 1985). En estos casos, ignorar los costos de transacción conduce a explicaciones teóricas y pronósticos que no están avalados por evidencia empírica (ver North, 1989). La importancia de los costos resultantes de la falta de información y del comportamiento oportunista de los participantes ha recibido un creciente reconocimiento en el trabajo de los académicos que siguen la "nueva economía institucional".[6] El mayor logro de estos académicos ha sido demostrar la fuerte influencia que tienen diversas instituciones para contrarrestar los diferentes tipos de comportamiento oportunista y afectar los costos de obtener información precisa sobre tiempo y lugar.

Hasta hace poco, los teóricos administrativos habían ignorado por mucho tiempo los costos de transacción con excepción de los asociados con las actividades de coordinación y de adquisición de información técnica o científica. Por ejemplo, la cantidad de atención que dedica Robert Chambers a los problemas relacionados con la corrupción en *Managing Canal Irrigation: Practical Analysis from South Asia* (1988) está en oposición con la mayoría de los tratados sobre los problemas administrativos en general y sobre el riego en particular. El subtítulo refleja su preocupación por analizar aspectos del manejo de canales de riego que no están contemplados en muchos tratados teóricos. El libro de Chambers es refrescante, dada su franca evaluación de no pocos problemas "prácticos". En su análisis de la corrupción, él y otros interesados en este problema deben bastante al trabajo pionero de Robert Wade (1982a, 1982b, 1985). Trabajos recientes, realizados desde una perspectiva institucional, han demostrado que las reglas específicas utilizadas para coordinar actividades dentro y entre organizaciones administrativas afectan seriamente el nivel y tipo de costos de transacción implicados (Hechter, 1987; Breton y Wintrobe, 1981).

El capital institucional presente en cualquier conjunto particular de suministradores y usuarios podría permitir a estos individuos afrontar, de forma eficiente, tanto los costos de transformación como los de transacción y, por ende, conseguir increíbles niveles de productividad con sólo formas primitivas de capital físico. Las instituciones *zanjeras* del Norte de las Filipinas (Siy, 1982), los *Subaks* de Balinesia (Geertz, 1989) y muchos de los sistemas administrados por campesinos en Nepal (Pradhan, 1989a) son admirables por los altos niveles de eficacia obtenidos, tratándose de sistemas cuyo capital físico parecería obsoleto para muchos ingenieros contemporáneos. La compleja red de relaciones establecidas entre funcionarios de gobierno, representantes de los campesinos y los campesinos mismos en un sistema de riego en Taiwán (Levine, 1980; Bottrall, 1981; Moore, 1989) muestra que es posible desarrollar capital social eficaz en sistemas de riego construidos, poseídos y "operados" por una burocracia nacional de obras de riego. La notable mejoría obtenida como resultado de un programa de fortalecimiento de las organizaciones campesinas en sistemas de la Agencia Nacional del Riego en las Filipinas son una muestra de la posibilidad de aprender de la experiencia y de mejorar sistemas de administración conjunta (Korten y Siy, 1988). La experiencia de Gal Oya en Sri Lanka, en la cual trabajaron catalizadores institucionales con campesinos para aprender sobre sus problemas y ayudarles a crear un conjunto de organizaciones concatenadas que crecieran desde la base, es igualmente reveladora (Uphoff, 1985).

Sin embargo, con frecuencia falta el capital institucional presente en muchos sistemas de riego construidos durante las últimas tres décadas en países en desarrollo. William Ascher y Robert Healy (1990) documentan la falta de inversión en arreglos institucionales en dos importantes proyectos de riego en la India (el proyecto de Jamuna, en Assam, y el proyecto de Nalganga, en Maharashtra). En ambos casos, la planificación se concentró completamente en la construcción de las principales obras físicas y supuso que los campesinos automáticamente se organizarían para construir, operar y mantener los canales de riego a fin de obtener el agua del sistema para sus campos. La construcción del proyecto de Jamuna se completó en mayo de 1969, a un costo aproximado de US$8.8 millones (Ascher y Healy, 1990: 147). Cinco años más tarde, menos de la tercera parte de la tierra que estaba planificada para recibir el servicio estaba recibiendo agua de riego. Una evaluación posterior descubrió que la raíz del problema radicaba en la negativa de los campesinos a construir canales de campo.

> La desastrosa omisión se engendró en el enfoque de inicio del proyecto por parte de los expertos y autoridades responsables. . . . Los campesinos tuvieron el tiempo y los recursos físicos necesarios para construir los canales. Sin embargo, éstos tardaron en hacerse. La razón obvia de esto, que no fue prevista por las autoridades del proyecto y que no pudieron conocer debido a que los beneficiarios no fueron involucrados en el diseño y ejecución del proyecto . . . fue que los campesinos que quedaban cerca de la cabecera no tenían ningún estímulo para dedicar su propia mano de obra (o mano de obra alquilada) para construir canales que conducirían el agua a través de sus tierras hacia las tierras de otros. (Ascher y Healy, 1990: 148–49)

En otras palabras, un proyecto cuyas obras físicas costaron cerca de US$9 millones estaba produciendo una pequeña proporción de los beneficios proyectados, como resultado de una falta de inversión en el diseño de arreglos institucionales entre los campesinos para construir (y, finalmente, operar y mantener) los más sencillos tipos de canales de conducción de agua. El capital social no se produce de manera automática o espontánea.[7] Debe desarrollarse.

Notas

1. El conocimiento común es una hipótesis que frecuentemente se utiliza en la teoría de los juegos y es esencial para la mayoría de los análisis de equilibrio (Aumann, 1976).

2. Por consiguiente, tanto el tamaño del sistema como las reglas específicas afectan los costos de transacción. Ambos elementos se reflejan en las estimaciones realizadas para el cobro de cuotas por riego en Egipto, que varían desde menos de US$1 hasta más de US$7 por acre, dependiendo del tipo de cuota de agua estimada (Easter, 1985: 16).

3. Evasión es el término utilizado con más frecuencia para referirse a quienes se benefician del trabajo sin aportar nada. Un operador de toma de agua que se queda en una agradable oficina seca durante la estación

del monzón, en vez de realizar el trabajo que le fue asignado, está beneficiándose sin trabajar, es decir, está evadiendo. El operador recibe el pago pero no realiza el trabajo que se supone que está haciendo.

4. Ver Craven et al. (1989, vol. III: A29) para una descripción del "apuro por adquirir tierras" en Somalia, en anticipación a la construcción de una presa en el Río Jubba. Grandes cantidades de tierra fueron registradas por inversionistas externos y especuladores, algunos de los cuales trabajaban para el servicio público.

5. Ver Scudder (1990) para una discusión sobre la guerra civil y el genocidio asociados con el desarrollo de presas de río a gran escala en Mauritania, Somalia, Sudán y Sri Lanka.

6. Para una revisión de esta literatura y la forma en que se relaciona con asuntos de desarrollo, ver la publicación especial de *World Development* (Vol. 17 No. 9, 1989), editada por Irma Adelman y Erik Thorbecke, sobre *The Role of Institutions in Economic Development.*

7. El término "orden espontáneo" se utiliza frecuentemente para describir una amplia variedad de patrones de orden humano. Estos patrones comparten una característica: No fueron diseñados por un funcionario del gobierno central. Son diferentes en muchas otras dimensiones. Un camino a través de un bosque podría ser perfectamente el resultado de que muchos individuos, de manera espontánea, eligieran seguir el rastro de un venado o el de otros seres humanos. Usar el término "espontáneo" para describir las actividades coordinadas de los campesinos para construir, operar y mantener los canales de campo no tiene en cuenta la cantidad considerable de tiempo que estos campesinos invierten en el desarrollo de reglas aceptables y en la supervisión del cumplimiento de las mismas. El uso del término "espontáneos" por parte de los académicos ofrece la impresión de que estos esfuerzos se darán automáticamente.

CAPITULO TRES

El diseño de instituciones

El término "diseñar" con referencia al desarrollo de instituciones hace hincapié en

1. el trabajo artesanal implicado en el diseño, operación, evaluación y modificación del comportamiento organizado por reglas (V. Ostrom, 1980)

2. la naturaleza dinámica de "afinar el proceso hasta que quede bien" (Uphoff 1986)

Diseñar instituciones para el suministro y uso de sistemas de riego es una labor desafiante que requiere habilidades especiales para comprender la forma en que las reglas, combinadas con los ambientes físicos, económicos y culturales particulares, producen incentivos y consecuencias. No existe una "mejor forma" de organizar actividades de riego (Coward, 1979; Chambers, 1980; Levine, 1980; Uphoff, 1986; E. Ostrom, 1990). Las reglas que rigen el suministro y uso de cualquier sistema físico particular deben diseñarse, probarse, modificarse y probarse de nuevo, y se deberá invertir tiempo y recursos considerables en aprender más sobre la forma en que las diferentes reglas institucionales afectan la conducta de los participantes. Por tanto, la selección de instituciones no es una decisión "única" en un ambiente conocido, sino más bien una inversión progresiva en un ambiente de incertidumbre.

El diseño de instituciones
como proceso de inversión

Diseñar, probar, revisar, supervisar y aplicar un conjunto de reglas operativas para estructurar actividades de riego es una empresa que consume tiempo. El tiempo *invertido* en la construcción y puesta en marcha de una mejor estructura institucional es similar al tiempo invertido en la construcción y puesta en marcha de una mejor estructura física. Esto lleva a *conocimientos compartidos* sobre la forma de coordinar los aportes de muchas personas en una serie de actividades complejas, interdependientes y afectadas por el tiempo. Concebir el diseño, la prueba, la modificación y el control de instituciones como un proceso de inversión tiene varias implicaciones inmediatas. La inversión en *cualquier* estructura de capital, tenga forma física o institucional, requiere que el tiempo y el esfuerzo que de otra forma se dedicarían a obtener beneficios inmediatos (incluido el descanso) sean desviados hacia actividades que conducirán a un flujo incierto de beneficios en un plazo lejano. Los que le dan poco valor a los beneficios futuros no harán una inversión como ésta. Los con horizontes a corto plazo tratarán de hacer lo mejor que puedan dentro de las limitaciones del capital físico (las obras de riego) y del capital social (las reglas en uso y las habilidades compartidas de los abastecedores y los usuarios de las obras de riego) disponibles.

Los campesinos que se encuentran al borde de la pobreza extrema no pueden permitirse el lujo de desviar muchos recursos de las actividades directamente relacionadas con los beneficios a corto plazo para perseguir beneficios inseguros a largo plazo. Si no pueden alimentar a sus familias y pagar los costos de mantener su tierra, difícilmente podrán recoger beneficios futuros a través de inversiones en mejoras físicas o en nuevas formas de coordinar sus actividades con otros campesinos. Del mismo modo, los funcionarios de gobierno que no esperan permanecer en una misma localidad más de unos pocos años tienen menos motivación para invertir tiempo y esfuerzo en mejorar las estructuras de capital en esa localidad que los que tienen un compromiso a largo plazo.

Muchos de los sistemas de riego construidos en países en vías de desarrollo a partir de la década de 1950 integran tanto a usuarios como a abastecedores que tienen horizontes de tiempo relativamente cortos; sus acciones, sin embargo, tienen efectos a largo plazo tanto sobre el capital social como sobre el físico. En grandes asentamientos de regadores, por ejemplo, el criterio de elegibilidad frecuentemente ha requerido que los colonos sean personas sin tierra y que tengan familias numerosas (Harriss, 1984: 325). El reclutamiento que utiliza estos criterios produce un heterogéneo conjunto de individuos provenientes de diferentes regiones, grupos, y orígenes étnicos y religiosos, muchos de los cuales tienen un capital individual muy limitado. No existe *ningún* capital social cuando se colocan grandes grupos heterogéneos de personas en un terreno extraño. Con pocas habilidades agrícolas adquiridas y con grandes familias que alimentar (de acuerdo con los requisitos del proyecto), los primeros colonos se ven desafiados a vivir sólo de sus ingresos y a mantener la tierra que les fue asignada. Muchos no logran tener éxito. Finalmente, algunos venden su tierra y se reincorporan a las masas de campesinos sin tierra.

Las reglas de los asentamientos algunas veces requieren que la tierra distribuida a los nuevos colonos sea heredada intacta. A pesar de que ese intento por evitar la fragmentación de posesiones de terreno es comprensible, el desafortunado resultado es la proliferación de rivalidades entre hermanos y la tendencia de los jóvenes a buscar oportunidades en otros lugares. En algunos proyectos, la proporción de hombres jóvenes que permanecen trabajando las tierras de sus familias se ha reducido hasta un 10 ó 15 por ciento (Harriss, 1984: 328). En tales situaciones, ni los parientes ni sus descendientes desarrollan el horizonte a largo plazo que se requiere para cambiar las reglas institucionales y aumentar los beneficios netos a largo plazo.

En muchos países, el personal que cobra las cuotas por riego de un proyecto o de un distrito administrativo en particular con frecuencia interviene en el "negocio de la transferencia", contando con que no permanecerán en un puesto más de dos o tres años. La mayoría de las instituciones nacionales rutinariamente cambian a los funcionarios de un destino a otro. La idea subyacente a esta política es que la rotación reduce la corrupción y el favoritismo. Sin embargo, como se ha podido comprobar a través de gran parte de la India, éste no siempre es el resultado. Sharan y Narayanan (1983) encontraron que en los distritos de Banowara y Dungapur los cobradores tenían un promedio de asignación de sólo catorce meses. Entre 1948 y 1981, la estancia más larga en estos puestos, en todos los distritos, fue inferior a tres años. En los lugares en que los políticos controlan los nombramientos, como ocurre en la India, las transferencias se convierten en "un poderoso instrumento de castigo y padrinazgo" (Chambers, 1988: 185). Los puestos en el área de riego son subastados por políticos entre ingenieros interesados.

> Los puestos públicos se conocen por sus precios nominales—"un puesto de un lakh", "un puesto de cinco lakhs", pero pueden reclamarse pagos adicionales durante el período normal de dos años, especialmente si se celebran elecciones. Para permanecer más de dos años, se requiere un pago adicional. Más aún, la permanencia en un puesto, incluso por los dos años previstos, está muy lejos de estar asegurada. . . . Sorprendentemente, [los ingenieros superinten-dentes] podían pagar hasta cuarenta veces o más su salario anual. (Chambers, 1988: 186).

Un sistema como éste ofrece dos poderosos incentivos en contra de la inversión en mejoras para el funcionamiento de sistemas de riego. Primero, el corto período del nombramiento reduce el horizonte de tiempo de los funcionarios. Segundo, los funcionarios han tenido que pagar un precio tan alto por sus nombramientos que deben dedicar considerable esfuerzo a conseguir ingresos ilegales de los contratistas (mediante comisiones ilegales y pagos por no reportar los trabajos de mala calidad) y de los campesinos (mediante pagos por el agua librada o por no aplicar las reglas formales). Por consiguiente, si las operaciones del sistema mejoran, el ingreso que un ingeniero podría obtener a través de su puesto en efecto podría verse reducido.[1]

En los proyectos de asentamiento, donde el personal de la organización se enfrenta a un futuro incierto, nadie tiene el horizonte de tiempo necesario para invertir en capital social. Las inversiones en capital físico pueden ser desacertadas y, a propósito, por debajo de las normas de calidad. Los planificadores del proyecto que suponen que la organización espontánea surgirá de la nada no han analizado a fondo los muchos elementos que intervienen en la formación del capital social. La evidencia indica que la motivación para invertir en capital social se da en proyectos de riego estable-cidos cuando los campesinos (1) tienen horizontes a largo plazo, (2) la escasez a la que se enfrentan es tal que se sienten motivados a invertir en organizarse entre ellos mismos, y (3) están seguros de que la organización realmente podrá marcar una diferencia sustancial en los rendimientos que obtienen (Wade, 1988; Uphoff, Wickramasinghe y Wijayaratna, 1990).

Los múltiples niveles de las reglas en uso

Cuando se trata de inversiones, se requieren dos niveles de análisis. Primero, un analista necesita comprender lo que está ocurriendo a un nivel operativo, donde los individuos procuran hacer lo mejor que pueden *dentro* de las limitaciones físicas e institucionales existentes. Segundo, un analista también necesita considerar qué opciones están disponibles para cambiar esas limitaciones. Considerar estos cambios es como llamar a un receso durante un partido, para reconsiderar las reglas del juego mismo. Este tipo de receso se presenta cuando los campesinos consideran nuevas tecnologías en sus campos o cuando los proveedores de un proyecto de riego consideran la conveniencia de instalar un nuevo tipo de compuerta de control (Nelson y Winter, 1982; Dosi, 1988).

Las reglas iniciales forman parte de otro juego de reglas que define la forma en que se puede cambiar el juego inicial.[2] Esta red de reglas es similar a la red de lenguajes de una computadora. Lo que se puede hacer a un nivel depende de las capacidades y límites de los programas (reglas) en ese nivel, así como de los programas (reglas) en un nivel más profundo y de los equipos (las obras físicas). Cuando se evalúa el *cambio institucional,* en contraposición con la acción dentro de las limitaciones institucionales, es esencial reconocer dos factores:

1. Los cambios en las reglas utilizadas para regular las acciones a un nivel se dan dentro de un conjunto actualmente "fijo" de reglas a un nivel más profundo.

2. Los cambios en las reglas más profundas normalmente son más difíciles y más costosos de realizar.

Es útil distinguir los tres niveles de reglas que afectan, de manera acumulativa, los sistemas de riego (Kiser y E. Ostrom, 1982). Las *reglas operativas* afectan directamente a las decisiones diarias tomadas por los usuarios y los suministradores relativas a cuándo, dónde y cómo extraer el agua, quién debe controlar las acciones de otros y cómo, qué información se debe intercambiar o guardar, y qué premios o castigos se asignarán a las diferentes combinaciones de acciones y resultados. Las *reglas de elección colectiva,* que afectan directamente las reglas operativas, son usadas por los regadores, sus funcionarios, o las autoridades externas en la elaboración de políticas administrativas. Un cambio de política implica un cambio en las reglas operativas. Las *reglas de elección constitucional* determinan (1) quién es elegible para participar en el sistema y (2) qué reglas específicas se utilizarán para diseñar el conjunto de reglas de elección colectiva, el que a su vez afecta al conjunto de reglas operativas (V. Ostrom, 1982).[3]

Los vínculos entre estas reglas y los ámbitos relacionados en que los individuos toman decisiones y realizan acciones aparecen en la Gráfica 2. Los procesos de distribuir el agua, limpiar los canales, y supervisar y sancionar las acciones de los regadores y funcionarios ocurren en el nivel operativo. La toma de decisiones, la administración y la adjudicación de políticas tienen lugar en el nivel de la elección colectiva. La formulación, gestión, adjudicación y modificación de las decisiones constitucionales se dan en el nivel constitucional.[4]

Las reglas cambian con menos frecuencia que las estrategias que los individuos adoptan dentro del marco de esas reglas. El cambio de reglas, en cualquier nivel, aumenta la inseguridad que las personas deben afrontar al tomar decisiones estratégicas. Las reglas producen estabilidad en las expectativas, y los esfuerzos por cambiarlas reducen rápidamente esa estabilidad. Lo común es que las reglas operativas sean más fáciles y menos costosas de modificar que las de elección colectiva, cuyo cambio, sin embargo, es más factible que el cambio de las reglas de elección constitucional. Si estas

---

GRÁFICA 2   Vínculos entre Reglas y Niveles de Análisis

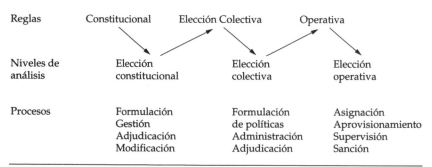

Reglas	Constitucional	Elección Colectiva	Operativa
Niveles de análisis	Elección constitucional	Elección colectiva	Elección operativa
Procesos	Formulación Gestión Adjudicación Modificación	Formulación de políticas Administración Adjudicación	Asignación Aprovisionamiento Supervisión Sanción

---

Fuente: Elinor Ostrom, *Governing the Commons: The Evolution of Institutions for Collective Action* (Nueva York: Cambridge University Press, 1990), pág. 53.

últimas *pueden* en efecto modificarse con facilidad, las decisiones tomadas a base de derechos preferenciales en ese nivel pueden inducir a serias inestabilidades en los niveles de elección colectiva y operativa. Los cambios rápidos a nivel constitucional pueden erosionar seriamente las expectativas mutuas sobre cómo se tomarán las futuras decisiones de elección colectiva, lo que a su vez afectará las decisiones a nivel operativo.

Los resultados que se producen al transformar los niveles más profundos de las reglas son más difíciles de analizar por parte de los participantes y de los estudiosos. Decidir si la constitución de una asociación de regadores debe establecer un cuerpo legislativo de cinco o nueve miembros depende de las características físicas de un sistema y del tipo de gestión que los participantes están acostumbrados a utilizar.[5] Un cambio en esta regla constitucional normalmente no producirá una diferencia inmediata notable. Una modificación a nivel constitucional se refleja en un cambio en el patrón de decisiones de elección colectiva, debido a que restringe o abre posibilidades a nivel operativo.

Las múltiples fuentes de las reglas en uso

En cada nivel de análisis puede haber una o más esferas decisorias. Una esfera es simplemente el ámbito dentro del cual ocurre cierto tipo de acción; las esferas incluyen ámbitos formales, tales como las organizaciones legislativas y los tribunales, pero también pueden incluir ámbitos informales, tales como las reuniones de la gente para conversar. Las decisiones sobre las reglas que se utilizarán para regular las decisiones a nivel operativo se formulan en una o más esferas de elección colectiva. Cuando los regadores desean cambiar algunas de las reglas de elección colectiva relacionadas con las asignaciones y el aprovisionamiento, pueden reunirse en una cafetería local, organizar una reunión de cooperativa, o formar una organización—como una asociación de usuarios de agua—el para propósito específico de administrar y controlar el sistema. Si los regadores o los funcionarios de un proyecto, trabajando juntos o independientemente, no pueden cambiar por lo menos algunas de las reglas operativas, las únicas esferas para la elección colectiva son externas al sistema. En tales casos, las reglas son fijadas por entidades administrativas externas, por los representantes electos en las legislaturas nacionales o locales, o por los jueces en las esferas judiciales. Tales reglas raramente reflejan las circunstancias específicas a que se enfrentan los usuarios y suministradores de un sistema concreto.

Raras veces una única esfera se corresponde con un único conjunto de reglas. Más frecuentemente, el juego de reglas operativas se ve afectado por varias esferas de elección colectiva. Las decisiones tomadas en las legislaturas, ministerios y tribunales nacionales sobre las prácticas a seguir por diferentes tipos de sistemas de riego—si esas prácticas son aceptadas y aplicadas como legítimas en una organización concreta—probablemente afectarán las reglas en uso existentes. De modo similar, los procesos de elección constitucional, tanto formales como informales, pueden darse en esferas regionales, nacionales y/o internacionales. Las relaciones entre las esferas formales e informales de elección colectiva y las reglas operativas resultantes aparecen ilustradas en la Gráfica 3.

El hecho que reglas de trabajo pueden tener múltiples fuentes e incluyen reglas *de facto* así como reglas *de jure* que las complica enormemente el problema de comprender lo que está ocurriendo en sistemas de riego determinados. Como expresamos anteriormente,

---

GRAFICA 3   Relación entre Esferas Formales e Informales de Elección Colectiva y Reglas en Uso Operativas

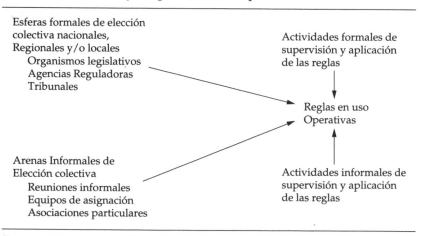

Fuente: Elinor Ostrom, *Governing the Commons: The Evolution of Institutions for Collective Action* (Nueva York: Cambridge University Press, 1990), pág. 53.

la ausencia de leyes nacionales que regulen los derechos de propiedad
del agua o las responsabilidades del mantenimiento de un sistema
no equivale a la ausencia de reglas eficaces para un sistema concreto.
Los usuarios y suministradores locales pueden haber invertido
tiempo y esfuerzo en el desarrollo de reglas de trabajo durante un
largo período de tiempo. Tales reglas pueden o no conducir a una
administración eficiente y justa del sistema, pero sin duda afectan
las estrategias que los usuarios y suministradores perciben como
disponibles, las acciones que ellos toman y las consecuencias
que resultan.

El diseño de reglas para condiciones ambientales variables

Si los usuarios y suministradores locales participan en el diseño de
por lo menos algunas de las reglas que afectan sus decisiones
operativas, el desempeño del sistema probablemente mejore. Una
de las razones por las cuales esto sea así es la gran variedad de
condiciones ambientales que afectan a la ejecución física de un
sistema particular. "Cada sistema de riego por canales tiene una
constelación diferente con muchos elementos variables" (Chambers,
1988: 211). Los esfuerzos por clasificar esos sistemas, a fin de
desarrollar reglas estándar para ser utilizadas en todos los sistemas
dentro de una categoría particular, no han probado ser útiles, y no
lo serán en el futuro. Los analistas han procurado clasificar los
sistemas de riego usando variables tales como

- tamaño

- tipo de fuente del agua

- tipo de suelo

- cultivos irrigados

- topografía física

- clima

Como señala Chambers, sin embargo, estas simples "clasificaciones se entremezclan unas con otras. También omiten muchos aspectos vitales" (1988: 211).

Entre los aspectos omitidos, Chambers presenta la siguiente lista de importantes variables:

- suficiencia del agua y calidad del reparto de la misma

- capacidad del canal en relación con la demanda máxima

- capacidad física para controlar los flujos

- derecho al agua

- responsabilidades financieras

- organizaciones políticas y ambiente político

- tamaños de las fincas

- relaciones y comunicaciones de los campesinos con el personal

- disponibilidad de mano de obra

Además del número abrumador de características físicas que afectan los problemas cotidianos con que nos enfrentamos en el funcionamiento de un sistema de riego, la configuración específica de variables en un sistema de riego es generalmente más importante que cualquier variable individual. Un sistema físicamente grande con muchas instalaciones de almacenamiento pequeñas es muy diferente de otro sistema grande sin ninguna posibilidad de almacenamiento más abajo de la toma. Dada la gran cantidad de variables, el número de configuraciones de las mismas es inmenso, y sería muy difícil que un conjunto estándar de reglas funcionara bien para una región entera.

Los sistemas múltiples que implican la utilización del agua tanto en el canal como sobre la tierra son aún más complejos. Las presas a gran escala, utilizadas tanto en el riego como en el control de inundaciones, implican procedimientos operativos totalmente diferentes a los empleados exclusivamente para actividades de riego.

Es preferible utilizar un embalse vacío para el control de las inundaciones, mientras que para el riego se requiere un embalse lleno. Diseñar las reglas de operación para suministrar agua de riego cuando simultáneamente se trata de evitar daños por inundación difiere sustancialmente de utilizar un sistema con un solo propósito.

Más aún, los problemas operativos podrían diferir de una estación del año a otra. Un conjunto de reglas diseñado sobre la base de las características de un sistema específico podría funcionar bien durante la estación del monzón, cuando se deja fluir libremente el agua, pero no lo hará durante la estación seca, cuando el agua es escasa y debe distribuirse cuidadosamente. La mayoría de los sistemas de riego en los que suministradores y usuarios han diseñado por lo menos algunas de las reglas en uso clave tienen más de una regla de asignación, dependiendo de la disponibilidad del agua. Estas reglas pueden variar radicalmente en muchos sistemas, entre una estación y otra, y de un año a otro.

En las instituciones de riego de larga duración para la administración de las huertas en el sudeste de España, por ejemplo, los funcionarios locales determinan las reglas básicas para la asignación de agua en respuesta a tres condiciones ambientales: abundancia, nivel mínimo estacional y sequía extrema (Maass y Anderson, 1986). Se utiliza un sistema de rotación muy riguroso cuando se presentan condiciones de nivel mínimo estacional; ésta es la condición que se observa con más frecuencia. En las raras ocasiones de abundancia, se permite que el agua corra por todos los canales y los agricultores pueden tomar tanta como deseen, cuando quieran. Cuando se declara una sequía extrema, un funcionario administrativo se hace cargo de la asignación y procura enviar agua a los campos más afectados por la sequía. Barker et al. (1984: 38-39) describe un sistema tradicional en Taiwán (Yun Lin) en el que las asignaciones tradicionales de derechos de propiedad otorgan a los agricultores ubicados en algunos de los canales una cantidad de agua considerablemente mayor que a otros durante la época de abundancia. Cuando el agua escasea, sin embargo, estos campesinos se incorporan a un sistema mayor, con mejores estructuras de acarreo y mantenimiento. Como parte del acuerdo para ser incluido en este sistema más grande, el conjunto de derechos de propiedad tradicionales es reemplazado por un conjunto "técnico" por medio del cual el agua se distribuye igualmente a varias partes del sistema. El cambio para este segundo juego de reglas se hace en pequeñas reuniones de asociaciones de riego, cuando los regadores, en forma colectiva, se ponen de acuerdo en que el suministro de agua es bajo. En muchos sistemas de riego en Asia, donde el arroz en cáscara es uno de los principales cultivos, el agua se distribuye continuamente durante la estación lluviosa del monzón, pero se rota durante las estaciones más secas.[6]

El hecho de que un sistema sea capaz de almacenar agua en un embalse o pueda complementar las aguas superficiales con aguas subterráneas constituye una diferencia sustancial en la previsibilidad de los despachos de agua, en los acuerdos institucionales que son posibles, y en la posibilidad de establecer acuerdos de mercado para la compra y venta de agua. Antes de que un campesino compre agua, necesita tener la seguridad de que el agua comprada realmente estará disponible. No se puede dar tal seguridad en sistemas sin una capacidad mínima de almacenamiento. La única huerta española que ha desarrollado un sistema de subasta de agua, por ejemplo, está ubicada en Alicante, donde la Presa Tibi se construyó en 1594. Los campesinos pueden conseguir información sobre la cantidad de agua almacenada en la presa y que puede ser distribuida durante los períodos de rotación (Maass y Anderson, 1986). En consecuencia, tienen garantías de que el agua que compran realmente estará disponible. En la India, se han desarrollado grandes mercados en los que los campesinos pueden comprar cantidades concretas de aguas subterráneas a propietarios de pozos con bombas de turbina (Shah, 1985, 1986). En el sur de California, se han creado sofisticadas instituciones de administración, incluyendo un activo mercado de derechos de aguas subterráneas, sobre la base de arreglos negociados en los tribunales, que definen los derechos específicos para el uso del agua subterránea (ver E. Ostrom, 1990; Blomquist, 1992).

Los cambios en el ambiente también suponen nuevos retos con relación al mantenimiento de un sistema de riego. En una región montañosa que es bañada periódicamente por lluvias torrenciales, mantener las obras de derivación y/o canales requiere una constante vigilancia y una inmensa inversión en mano de obra y materiales. Una pequeña rotura en un canal que aparece temprano por la mañana, si no es descubierta y reparada de inmediato, tras fuertes lluvias puede convertirse en un hoyo abismal después del mediodía.

Además de los cambios fraguados a través del tiempo por las condiciones climáticas, los procesos dinámicos que operan en el ambiente exterior de muchos sistemas de riego pueden ser la fuente de grandes problemas en el diseño de las instituciones. Los rápidos cambios en los valores *relativos* de tantos factores diferentes, como los precios de mercado de la mano de obra, los insumos agrícolas o las mercancías, son especialmente desafiantes. Es difícil ajustar reglas diseñadas localmente al ritmo necesario para contrarrestar las variaciones en los precios sin socavar la estabilidad de las expectativas. Un conjunto de reglas diseñado para un conjunto de relaciones basadas en el valor de la tierra y el agua podría no ser tan eficaz cuando los valores relativos cambian drásticamente.

Importantes diferencias ambientales entre los sistemas de riego (y aun dentro de un mismo sistema durante diferentes épocas del año) no son tomadas en consideración cuando los gobiernos nacionales o regionales tratan de especificar las reglas que se utilizarán en todos los sistemas dentro de sus jurisdicciones. Cada uno de los estados de la India, por ejemplo, procura especificar las mismas reglas de asignación de agua en sus dominios, sin tener en cuenta las diferencias hidrológicas o las condiciones meteorológicas (Bottrall, 1981).

El diseño de reglas relacionadas con tradiciones culturales variables

Aunque el clima, la geología, las condiciones del suelo, el terreno y las obras físicas de un sistema de riego son limitaciones obvias, los sistemas de creencias compartidas en una región, casta, religión o grupo étnico particular también deben tomarse en cuenta en el diseño institucional. Cuando se comparten creencias en relación con la imparcialidad de diferentes reglas de asignación, con los puestos directivos apropiados y con los derechos y deberes que tienen los individuos con relación a los demás, se delinea y se limita el repertorio básico de reglas que podría ser utilizado con facilidad por los proveedores y los usuarios de un sistema de riego. Para un observador de fuera, algunas reglas que parecerían más eficientes o justas podrían no estar incluidas en el reglamento básico. Si las autoridades externas tratan de imponer reglas extrañas a este grupo de reacios receptores, es probable que éstas no serán obedecidas.

Las reglas utilizadas en una tradición cultural constituyen formas de conocimiento compartido. Los campesinos que han utilizado un mecanismo particular de selección de líderes para otros propósitos tienen un conocimiento inicial—y una base para realizar una evaluación—de las posibles consecuencias de utilizar un mecanismo similar para elegir a los dirigentes de una organización de riego. Las fórmulas para la mano de obra compartida, utilizadas con éxito para movilizar cantidades adecuadas de trabajadores capaces para propósitos análogos, pueden utilizarse para realizar una tarea diferente. Dado que invertir en reglas nuevas siempre implica un riesgo, no es de sorprender que los inversionistas prefieren trabajar con reglas cuyos resultados han podido comprobar y no con normas cuyos resultados son inciertos.

El diseño de reglas para contrarrestar el comportamiento oportunista

La reducción del nivel de comportamiento oportunista es un problema grande para todos los sistemas de riego. Muchos de los conceptos y normas de conducta, a los que en conjunto nos referimos como "cultura", han evolucionado como una forma de capital social para contrarrestar el comportamiento oportunista. Si los participantes no consideran apropiadas las reglas específicas que se diseñan para organizar un sistema de riego determinado, el comportamiento que viola las normas aceptadas de conducta podría pasar sin ser sancionado. Si la estructura formal es vista como ilegítima, el comportamiento que socava el mantenimiento de esa estructura no será mirado con desaprobación.

En consecuencia, cuando los organismos centrales pretenden imponer reglas organizativas estándar a todos los sistemas de riego ubicados dentro de una jurisdicción grande, estas reglas pueden fracasar, por varias razones: (1) el juego estándar de reglas podría no ser adecuado para abarcar la configuración de variables físicas que caracteriza un sistema específico; (2) las reglas podrían ser "extrañas" para los participantes locales, que se sienten inseguros de sus consecuencias o de la forma de ejecutarlas; y (3) otros aspectos del capital social—particularmente las normas de comportamiento utilizadas para contrarrestar la conducta oportunista—podrían no ser movilizados debido a que la organización "extraña" no se percibe como legítima.

Según lo expresado en el Capítulo Dos, el oportunismo puede adoptar diferentes formas. El beneficiarse sin aportar, las acciones orientadas a cazar rentas, y la corrupción son las tres formas de oportunismo de mayor prevalencia en los sistemas de riego. En cualquier situación en la que los campesinos no contribuyen al mantenimiento de un sistema, la dificultad para evitar que se beneficien gratuitamente de las actividades de construcción, reparación o mantenimiento realizadas por otros crea la posibilidad de beneficiarse sin aportar. Obtener el control de recursos para conseguir beneficios mayores de los posibles bajo circunstancias de competencia—acciones orientadas a cazar rentas—puede darse en cualquier lugar (ver Repetto, 1986). Reclamar pagos ilegales a cambio de favores—corrupción—también es una amenaza muy arraigada a la justa y eficiente operación del sistema en todas partes.

Si beneficiarse gratuitamente se convierte en una forma dominante de conducta en los sistemas de riego—lo cual es totalmente factible—todos los usuarios se perjudican al final. Sin entrada de recursos en la forma de cuotas, mano de obra o materiales, un sistema no puede reparar y mantener sus instalaciones por mucho tiempo. Cuando los canales se llenan de lodo, no puede fluir suficiente agua a través de ellos como para llegar a los campesinos que quedan al extremo final de los mismos. Si los campesinos están seguros de que los beneficios serán superiores a los costos, con frecuencia rechazarán la tentación de beneficiarse gratuitamente y contribuirán con cantidades sustanciales de mano de obra. En otras palabras, los campesinos desean protegerse de ser tomados por "tontos" que participan mientras otros, que se benefician gratis, se dedican a sus actividades privadas y, disimuladamente, se burlan de la ingenuidad de los que sí participan.[7]

El beneficio gratuito implica una actitud pasiva—los campesinos que se benefician gratuitamente dejan que otros contribuyan mientras que ellos se abstienen de contribuir a la consecución de un beneficio colectivo. Cazar rentas, por otro lado, implica esfuerzos activos para obtener una ventaja desproporcionada de las actividades productoras de utilidades.

Los posibles receptores de beneficios económicos compiten por ellos, no mediante un enfrentamiento en los mercados con sus rivales a través de una eficiencia y previsión económica superior, sino tratando de controlar a las personas que los asignan. La manipulación política, la intimidación y la corrupción reemplazan a la eficiencia económica como medio de progresar. Inevitablemente, la mayoría de los beneficios disponibles son acaparados por los que tienen poder, influencia y riqueza, y los cazadores de rentas piensan que utilizar los recursos eficientemente es mucho menos importante que conseguir el control del mecanismo de asignación. (Repetto, 1986: 14)

Una vez que los cazadores de rentas han obtenido privilegios especiales, pueden usar los beneficios sustanciales que consiguen para conservar y aumentar sus excesivas ganancias.

Los productores de arroz y los políticos influyentes tienen mucho que ganar mediante la obtención de financiamiento externo de organizaciones donantes y la perpetuación del uso de sistemas fiscales que gravan al que paga impuestos generales, en lugar de a los regadores, para cubrir el costo de operación y mantenimiento de los sistemas de riego a gran escala. Las reglas institucionales que requieren que los usuarios cubran los costos de mantenimiento y operación de sus sistemas (y que colaboren en la recuperación de la inversión inicial) pueden contribuir a frenar las actividades de los cazadores de rentas. Las directrices nacionales que gravan a los campesinos por el agua que utilizan pueden ser totalmente ineficaces a menos que se cuente con una organización que esté dispuesta a dedicar recursos suficientes para controlar y castigar a los que no cumplan con las normas. En realidad los campesinos están dispuestos a pagar considerablemente más dinero que las cuotas nominales fijadas en las leyes nacionales de la mayoría de los países. Pero esa intención de pagar por el agua que les fue prometida podría también estar acompañada de un deseo de comprar directamente a un propietario de una bomba de inmersión o de pagar un soborno a cambio de asegurar el despacho. La caza de rentas no puede ser controlada mediante un mandato legal por sí solo, sin que se realicen esfuerzos efectivos por aumentar la eficiencia del sistema de manera que los campesinos perciban beneficios determinados que provienen del pago de sus cuotas como usuarios del agua. Debido a que estas cuotas con frecuencia no forman parte de los ingresos destinados a la ejecución del proyecto (por ejemplo, las cuotas son depositadas en la tesorería general), es difícil relacionar el incremento en su cobro con la mejora en el funcionamiento del sistema.

El diseño de instituciones que impidan el control total de los funcionarios públicos sobre los recursos esenciales puede ayudar a reducir la corrupción. En aquellos sistemas de riego autoorganizados, donde la corrupción comúnmente es baja, los recursos necesarios para producir resultados de beneficio conjunto raramente son transferidos a los funcionarios o controlados por ellos. Muchos de los recursos movilizados para manejar y mantener estos sistemas se dan en la forma de mano de obra. Debido a que los usuarios conocen con exactitud en qué se emplea su mano de obra en los días de trabajo, pueden insistir en que ésta se dedique totalmente al mantenimiento del sistema, en vez de a mejorar la propiedad personal de un funcionario. Una vez que los recursos se movilizan en la forma de dinero y no de mano de obra, uno de los requisitos fundamentales para controlar la corrupción es llevar cuidadosamente libros de contabilidad que se mantengan abiertos a la inspección pública.

El diseño de mecanismos de control, de sanción y de resolución de conflictos

Tan importante como el diseño de las reglas mismas es el diseño de procedimientos viables para el control de la conducta de los suministradores y usuarios del agua de riego, el castigo para el comportamiento incorrecto, y la resolución de los conflictos. Donde existen grandes tentaciones para incurrir en el comportamiento oportunista, no hay ningún conjunto de reglas que se impongan por sí mismas (V. Ostrom, 1980). Si la conducta de los participantes es conforme a las reglas en uso, es una cuestión a ser determinada por los involucrados y, posiblemente, por los funcionarios y/o vigilantes externos. Los que no se comporten de acuerdo a estas reglas deberán ser castigados. En cuanto algunas personas lleguen a controlar a otras y a imponer sanciones, surgirán conflictos a causa de la interpretación de las reglas, los hechos del acto que se está castigando, y el nivel y tipo apropiado de castigo.[8] La falta de controles, sanciones y arreglos justos y de bajo costo para la resolución de conflictos podría provocar el deterioro de un sistema complejo de expectativas y compromisos mutuos.

Michael Hechter (1987: 150–57) identifica varias estrategias que los grupos pueden adoptar para aumentar la eficacia del control, incluyendo (1) el aumento de la visibilidad a través de la arquitectura y la creación de rituales públicos y (2) la reducción de errores de interpretación mediante el establecimiento de reglas claramente definidas y la captación de participantes que compartan puntos de vista similares. El diseño físico de un sistema de riego y los recursos y reglas utilizados por los campesinos para la distribución del agua pueden afectar el costo de la supervisión y a la posibilidad de que el comportamiento ilegal sea detectado. Los sistemas construidos de manera que las acciones de los campesinos que toman agua puedan ser detectados, a bajo costo, por otros que esperan sus turnos aumentan la posibilidad de un control eficaz. De forma similar, las reglas que requieren una rotación secuencial del sistema a lo largo de un canal determinado reducen las ambigüedades entre quienes se supone que toman el agua y los que le siguen en línea. Más aún, tales reglas colocan a los más directamente afectados en una ubicación física similar a intervalos de tiempo sobrepuestos.

La rotación secuencial, que se usa con frecuencia en sistemas administrados por campesinos, es criticada por los ingenieros de riego como muy rígida y técnicamente ineficiente. Si un campesino tiene un valor de uso superior para el agua disponible pero no es el siguiente en turno, es difícil ajustar estos sistemas de distribución de agua secuencial para despachar agua a aquél que recibe el mayor valor de ella. Podría haber otros factores a considerar en la evaluación de las reglas de distribución de un sistema de riego, aparte de la eficiencia a corto plazo en el uso del agua. Si los campesinos no pueden supervisar eficazmente un esquema de asignación a un costo relativamente bajo, la eficiencia a corto plazo puede perderse rápidamente, en la medida en que disminuya el control y aumenten las asignaciones inapropiadas (robo) (Weissing y E. Ostrom, 1991). Los sistemas de riego construidos por campesinos frecuentemente se dividen en muchas unidades físicas pequeñas dentro de un sistema de mayor tamaño. Algunas veces, están "dispuestos de manera que cada unidad se sirva directamente del canal principal o de uno lateral, y no dependa de la provisión de agua que pasa por el territorio de otra miniunidad" (Coward, 1980: 207). Este tipo de diseño físico tiene dos consecuencias. Primero, el número de agricultores cuyas acciones afectan directamente a otros es pequeño, aun cuando el número de agricultores que reciben el servicio del sistema completo sea grande. Segundo, la eficacia con que cada campesino puede supervisar a otros campesinos es también relativamente alta.

Por supuesto, si un sistema grande se va a dividir eficientemente en subunidades relativamente independientes, deben existir reglas claras para la asignación de agua y el cumplimiento de dichas reglas debe ser vigilado. Los sistemas "federados" propiedad de los campesinos tienden a organizarse alrededor de miniunidades cuando están estructurados formalmente y a emplear un nivel mucho más alto de personal responsable de las actividades de distribución y supervisión que los sistemas que son del mismo tamaño pero que son controlados de forma centralizada. También se encuentran presentes mecanismos de resolución de conflictos.

Hechter subraya la importancia de la homogeneidad de los participantes en la reducción de errores de interpretación en cuanto a qué constituye una estrategia legal. La eficacia de la supervisión se reduce si una acción observada no es interpretada claramente ni como una violación a una regla ni como un acto conforme a la norma. Aquí, nuevamente, las tradiciones culturales son importantes para ayudar a definir con claridad qué está dentro o fuera de los límites de un comportamiento aceptable. Permitir que los animales pisoteen los bordes de un canal—aumentando de esta manera los costos de mantenimiento de todos—podría ser considerado como algo imperdonable o simplemente como un capricho de los animales y algo sobre el cual el propietario no tiene ningún control.

Lo que constituye una sanción eficaz varía de un sistema a otro. Cuando los usuarios consideran las reglas como legítimas y viven en un pueblo pequeño donde la mayoría de las oportunidades futuras de beneficio mutuo están basadas en su reputación como personas de confianza, el temor a comentarios adversos, por sí solo, podría ser suficiente para impedir que la mayoría viole las reglas. Muchos sistemas administrados por campesinos asignan pequeños castigos a los que cometen una falta por primera vez o a los que tienen reputación de respetar las reglas en general. En tales sistemas, los castigos pueden aumentar desde un nivel inicial bajo hasta un nivel muy alto, tal como negar el agua a los agricultores infractores o, en casos más extremos, expulsarlos de la comunidad.

En muchos sistemas de riego administrados por dependencias gubernamentales, sin embargo, la violación de las reglas puede ser una práctica ampliamente extendida en cuyo caso las sanciones se imponen a los que promueven la regulación del proyecto en lugar de a los implicados en los comportamientos ilegales.[9] Harriss (1984: 322) describe la violación flagrante a las reglas en algunos sistemas de Sri Lanka, donde "las compuertas faltan, las estructuras están dañadas, los canales han sido perforados por usurpadores y otros". Cuando se les preguntó por qué no evitaban alguna que otra de las faltas más flagrantes, dos empleados de la institución respondieron "que temían ser atacados si lo hacían". Arriesgarse a tales ataques es doblemente fútil, considerando las pocas probabilidades de que un delincuente reciba efectivamente algún castigo.

> Las persecuciones deben ser realizadas por la policía, que normalmente ha considerado el robo de agua como trivial y que no tiene los mismos estímulos para castigarlo como en otros casos. Más aún, las demoras en cuanto a los procedimientos judiciales y las penas sumamente leves que se imponen a los que son encontrados culpables de delitos en materia de riego han hecho que las sanciones legales sean ineficaces. (Harriss, 1984: 322)

Los regadores que tienen los vínculos necesarios con los funcionarios de los partidos políticos de Sri Lanka probablemente nunca sean procesados. Todos los esfuerzos por imponer sanciones implican costos.

El diseño de métodos de castigo para los empleados de gobierno que no prestan atención a las regulaciones es también problemático en los proyectos grandes. Para sancionar a los empleados de gobierno, alguien tiene que observarlos realizando acciones ilegales. Debido a que de por sí el personal administrativo de estos proyectos es mínimo, incorporar medidas de supervisión eficaces resulta difícil. Más aún, si la policía y los juzgados consideran las acciones de los campesinos muy triviales para que éstos sean procesados, las acciones ilegales de un funcionario mal pagado que acepte pequeños sobornos a cambio de favores especiales probablemente tampoco se tomen con mucha seriedad. Si la corrupción es un medio de vida, los supervisores probablemente no estén dispuestos a exponer a un empleado a que sea descubierto cobrando un soborno, a menos que exista una campaña nacional en contra de la corrupción y el hecho de exponer las faltas de los funcionarios puedan beneficiarles a ellos o a sus superiores en términos políticos. Los castigos por la simple falta de ejecución de un trabajo también son raros en proyectos gubernamentales grandes.

El diseño de reglas de múltiples niveles

El diseño de instituciones de riego eficaces afecta a muchos individuos, empezando por los pequeños grupos de campesinos que comparten un canal particular y continuando hacia afuera para incluir a muchos otros que quizás ni siquiera vivan en el mismo país. Muchos sistemas de riego son sistemas de uso múltiple a gran escala, patrocinados por gobiernos nacionales y organizaciones donantes bilaterales o multilaterales. Las autoridades de desarrollo de las cuencas de los ríos frecuentemente se han ubicado en ríos internacionales, como es el Río Senegal, donde la productividad de las empresas agrícolas en más de un país se ve afectada simultáneamente. Si no se toman en consideración los intereses de diferentes públicos en estos sistemas de capas múltiples, surgirán tensiones considerables en la medida en que intenten interactuar individuos que persiguen resultados diferentes.

El problema de diseñar múltiples niveles de reglas es exacerbado por la teoría de soberanía dominante utilizada por los analistas políticos, funcionarios de gobierno y organizaciones donantes internacionales. Una teoría de soberanía supone que una "unidad legal" es necesaria en todas las sociedades y que una "unidad de poder" es la única forma de obtener esta unidad legal (V. Ostrom, 1988). Por lo tanto, se considera necesaria la existencia de un solo centro de autoridad para conseguir el orden. Este centro de autoridad se percibe como soberano y es el autor y ejecutor de todas las reglas dentro de la sociedad.[10] El concepto de soberanía supone que sólo puede haber una fuente de autoridad en una sociedad y que los demás son simplemente sujetos de reglas determinadas por los gobernantes.

> Los que tienen la máxima autoridad para gobernar y el monopolio del uso legítimo de la fuerza en una sociedad ejercen su poder para determinar todas las demás relaciones de autoridad. Los soberanos, entonces, son fuentes de ley y no pueden ser responsables ante la misma. Todos los demás son *sujetos* en presencia de un *soberano*; y los soberanos, no estando limitados por ninguna regla aplicable, quedan fuera de la ley, es decir, son proscritos en relación con los que son sujetos. (V. Ostrom, 1988: 59; énfasis del autor)

Mientras los gobiernos nacionales sean percibidos como poderes soberanos, la ayuda económica será organizada sobre la base de un estado a otro, o de una organización donante multilateral a un estado concreto. Hasta hace bastante poco, casi todas las organizaciones donantes trabajaban exclusivamente con gobiernos nacionales y suponían que las reglas que controlaban el riego debían ser aprobadas por las legislaturas nacionales o cambiadas por decreto administrativo en los ministerios estatales. El supuesto de aquéllos en cuanto a la soberanía del gobierno nacional, al igual que el inmenso flujo de recursos monetarios provenientes de la comunidad de organizaciones donantes para invertir en proyectos de riego, contribuyó al fortalecimiento del poder de las autoridades centrales sobre las autoridades locales y los ciudadanos en general.

Se necesita un concepto de orden político diferente para estimular el desarrollo de regímenes múltiples dentro y a través de fronteras nacionales que permitan cierto grado de autonomía a cada nivel. En vez de presumir la existencia de una única fuente de ley, es necesario suponer que los individuos en distintas escalas de organización pueden constituir sus propios órdenes mientras existan mecanismos que aseguren la resolución pacífica de los conflictos. Una administración compleja de múltiples niveles se fundamenta en principios de diseño diferentes de los de un estado soberano (ver V. Ostrom, 1991). En vez de una autoridad que emana de una sola fuente, la organización surge desde la base hacia arriba y viceversa (ver Oakerson, 1988).

Muchas personas participan en el diseño de los múltiples niveles de normas que conducen a una administración con extensivos arreglos interinstitucionales en los que los individuos interactúan tanto horizontal como verticalmente. Algunos arreglos son "informales" en el sentido de que los individuos realizan actividades productivas regulares sin pasar por los numerosos pasos formales que se requieren en muchos países en desarrollo para crear una empresa pública o privada. A partir del importante trabajo de Hernando de Soto (1989), se ha dedicado mucho más atención a la posibilidad de desarrollar una economía privada "informal" que se haga más vigorosa en el futuro. Se ha puesto menos atención en la "economía pública informal", pero ésta también podría proporcionar el fundamento inicial para un sector público más fuerte y productivo en el futuro. En muchas sociedades se organizan instituciones autóctonas para suministrar bienes públicos, pero éstas se han mantenido invisibles para los funcionarios de gobierno y las organizaciones donantes internacionales.

Una sociedad, por lo tanto, no está limitada a solamente dos tipos de arreglo institucional, o sea, el mercado y el estado. Por el contrario, una sociedad puede concebirse abarcando una rica mezcla de instituciones públicas y privadas, incluyendo economías públicas locales (Comisión Asesora sobre Relaciones Intergubernamentales, 1987). En una administración compuesta por muchas empresas que interactúan, el diseño de instituciones es un proceso continuo que se da en todos los niveles. En una administración como ésta, los mecanismos de resolución de conflictos son más importantes que las administraciones donde hay sólo una fuente de reglas (V. Ostrom, 1991). Si no existen mecanismos eficaces de resolución de conflictos y no se reconoce la relativa independencia de los diferentes niveles de autoridad para la elaboración de las normas, la autonomía local podría consumirse a través del tiempo. De esta manera, en muchos países en desarrollo donde los gobiernos nacionales han tratado de ejercer su reconocido poder como fuente soberana de la ley, la elaboración local de reglas sólo se ha dado en lugares aislados, o de forma clandestina.

La diversidad de atributos que afectan la toma de decisiones locales relacionadas con el riego hace poco probable que un solo nivel de reglas sea suficiente para establecer arreglos mutuamente productivos para comunidades e individuos diversos. Desde esta perspectiva, los hallazgos descritos en el Capítulo 1 relativos a los fracasos institucionales masivos en sistemas altamente centralizados no son del todo sorprendentes. Volveremos a tratar este asunto en el Capítulo 5.

El diseño de reglas para procesos dinámicos

El diseño de instituciones no termina nunca. En cualquier ambiente complejo y dinámico, es improbable que el conjunto de reglas en uso, tomado en un punto cualquiera de su desarrollo, haya alcanzado un nivel óptimo. Esto es así a pesar de que individuos altamente motivados podrían haber elaborado sus propias normas en el pasado. En un ambiente complejo, es difícil adivinar cuál de los muchos factores que afectan los resultados es el principal responsable de la deficiencia de éstos. En un año en el que los rendimientos agrícolas son bajos, ¿se debe a que faltó lluvia, a las averías de las compuertas de control, a una nueva regla de asignación, o al aumento de violaciones a las normas entre los participantes? De forma similar, si nadie se siente inclinado a regirse por una regla recién elaborada, tanto ésta como su supervisión o sanción deben ser modificadas. Más aún, las causas de la poca conformidad a un precepto son difíciles de determinar, especialmente cuando interactúan unas con otras. Una pauta de asignación con el potencial

para ayudar a los campesinos a producir una cosecha mejor de lo
esperado en un año de poca lluvia podría aplicarse en una serie de
años con lluvias superiores al promedio durante los cuales el efecto
real de esa pauta podría ser una reducción de los rendimientos que
potencialmente podrían obtenerse. La regla, entonces, podría
rechazarse como inadecuada para su uso futuro, aun cuando pudiera
ser eficaz en años de sequía.

El proceso de cambio institucional también implica el tipo de
"dependencia del camino" que caracteriza al cambio tecnológico
(David, 1988, Arthur, 1988). Históricamente, los pequeños cambios
pueden producir efectos enormes en el camino de la búsqueda de
las innovaciones debido a que normalmente se producen beneficios
crecientes con relación al uso de un tipo de regla en particular. Una
vez que una sección de un sistema de riego grande empieza a
experimentar con la rotación, por ejemplo, los campesinos en esta
sección pueden empezar a mejorar las reglas y los procesos agrícolas
basados en las expectativas de su continuidad. Si otras divisiones
del proyecto adoptan reglas similares, podrían ganar aún más
experiencia y sugerir mejoras más profundas. Si todas las secciones
de un proyecto adoptan normas de distribución parecidas y si la
entidad responsable del funcionamiento del sistema grande es
adaptable y responde a las preferencias articuladas de los campesinos,
podría ser factible ajustar los procedimientos de asignación de agua
a canales más grandes, a fin de que se "adecuen" a los sistemas de
asignación utilizados en las secciones.[11] A través del tiempo, la
experiencia con reglas exitosas permite a los individuos aprender
sobre la forma de usar estas reglas de manera aun más eficaz.
Cualquier esfuerzo por usar normas alternativas podría entonces
estar condenado al rechazo. Aunque estas reglas alternativas
pudieran aumentar la eficiencia del sistema (una vez que los
individuos hayan adquirido experiencia con ellas), los esfuerzos
iniciales por experimentar con ellas probablemente no conduzcan
a su adopción.

Otros factores también contribuyen a la "dependencia del camino"
en el cambio institucional. Como expresamos más arriba, una regla
nueva no sólo afecta la cantidad de beneficios netos que se pueden
derivar de un sistema, sino también a la distribución de esos
beneficios. Una vez que algunos individuos han conseguido un
reparto en particular, serán reacios a utilizar una regla nueva que
no asigne por lo menos tantos beneficios como antes. Esto conduce

a Freeman y Lowdermilk (1985: 101) a indicar que es "desastroso" poner en operación un sistema de riego antes de considerar seriamente las reglas que se usarán para la asignación del agua:

> La razón es sencilla y profunda: cuando el agua fluye, algunos campesinos están en una mejor posición inicial que otros para aprovechar el recurso. Rápidamente usan su buena suerte para consolidar ventajas desproporcionadas y luego oponerse a los intentos por reformar la situación—generalmente con éxito debido a su control sobre recursos críticos.

Muchos proyectos de riego grandes comparten una historia similar al cambiar de una etapa de aparente abundancia hacia otra de mayor escasez. Cuando se inicia un proyecto, algunos campesinos cambian para usar agua de riego, mientras que otros continúan confiando en la lluvia. El procedimiento de construcción crea una trayectoria de conducta similar.

> Generalmente la presa se construye primero, luego se inicia el canal principal, y posteriormente se añaden los canales de distribución a partir de la cabecera hacia abajo. Entre tanto, se llena la presa mientras el área de servicio es pequeña. Los campesinos que están en la parte alta pueden tomar y usar agua mediante métodos muy ineficientes de acarreo (pero con los que ahorran costos de mejora de la tierra y costos de mano de obra). Las autoridades públicas están más preocupadas porque el agua se utilice que en que su uso sea eficiente. Después de varias temporadas, las operaciones agrícolas de los campesinos están firmemente sujetas a estos métodos, hasta el punto de que se resisten a las reducciones en el suministro de agua que les pudieran llevar a una mayor eficiencia en el uso de la misma. Las autoridades públicas mismas desarrollan patrones de conducta que reflejan la prioridad de promover el riego en vez del racionamiento del agua. (Wade, sin fecha: 7–8)

A medida que más y más campesinos empiezan a usar el agua, la demanda comienza a exceder la oferta. La "subsecuente evolución de los derechos de agua está, sin embargo, muy influenciada por las condiciones iniciales en estado de preescasez" (Wade, sin fecha: 8). De proyectos iniciales que siguen aproximadamente esta secuencia pueden resultar décadas de conflictos.

Debido a que la "dependencia del camino" caracteriza a la mayoría de los procesos de evolución institucional, todos los sistemas tienen límites en cuanto al grado y la frecuencia del cambio que es factible sin destruir las ventajas de las expectativas previsibles creadas por un proceso institucional estable. El nivel de reformabilidad que se puede conseguir en un conjunto de reglas varía de un lugar a otro. Si los usuarios de un reglamento no tienen ninguna autoridad *de facto* o *de jure* para cambiarlo, sólo se ajustarán las decisiones estratégicas dentro de un conjunto de reglas existentes. Esto impone un severo límite a la reformabilidad de tal sistema a través del tiempo. Si estos usuarios han ejercido al menos una autoridad *de facto* para cambiar sus propias normas, el estorbo de la experiencia histórica quizás no se imponga a los esfuerzos por modificar las reglas subyacentes. El cambio forzado ha sido intentado a través de los tiempos y rara vez ha funcionado con eficacia. Cuando los agentes coercitivos desaparecen, las personas regresan a su forma "normal" de realizar actividades complejas e interdependientes.

El diseño de instituciones es un proceso continuo debido a la complejidad de la tarea de lograr que éstas se adapten a las especiales combinaciones de variables presentes en cualquier sistema en particular *y también* al cambio de muchas de estas variables a través del tiempo. El sistema nunca es realmente estable. No sólo son siempre variables las condiciones climatológicas, sino que la estructura física tiende a "desgastarse". En un sistema de riego, las presas y los canales se llenan de lodo, los mecanismos de control se descomponen y los estratos subyacentes se desmoronan. Si existen instituciones funcionales eficaces, se puede dedicar considerable esfuerzo a contrarrestar el deterioro físico, pero ningún sistema físico opera exactamente de la misma manera año tras año. En la medida en que crece la demanda de agua, el conflicto por la misma puede aumentar. Los mecanismos de supervisión, castigo y resolución de conflictos que una vez fueron satisfactorios podrían no ser suficientes.

Es necesario hacer hincapié en la naturaleza dinámica del proceso de diseño de instituciones, debido a que frecuentemente se le describe (si a caso surge el tema) como un esfuerzo único por organizar a los campesinos. Por el contrario, los que están directamente involucrados en las características de flujo de un sistema en particular, en las condiciones económicas de una localidad y en los valores y normas de los usuarios necesitan tener una autoridad *continua* para diseñar por lo menos algunas de las reglas que más directamente afectan el sistema. Sin una capacidad continua de ajustar nuevas normas a nuevas circunstancias, los sistemas de riego exitosos se enfrentan a considerables dificultades para afrontar los diversos retos ambientales y estratégicos que surgen en los sistemas dinámicos.

Notas

1. Estos incentivos están en marcado contraste con aquéllos a los que se enfrentan los funcionarios de riego de Corea, donde las organizaciones paraestatales son responsables del riego del 36 por ciento de las tierras de cultivo irrigadas. En cada sistema, la mayoría de los funcionarios nacieron y crecieron en la localidad y tienen un origen económico y social similar al de los campesinos. "Los funcionarios están tan vinculados al área local que las transferencias fuera del área de comando constituyen un castigo severo por falta grave en sus obligaciones" (Freeman y Lowdermilk, 1985: 106). En contraposición con estos nexos con la localidad y el resultante horizonte a largo plazo, sin embargo, está un sistema de autoridad altamente centralizado, que otorga a los funcionarios locales y a los campesinos poca posibilidad de opinar sobre cómo deben funcionar los sistemas de riego. En el caso de Corea, los campesinos establecidos han diseñado sistemas de trabajo para la asignación de agua que no son muy eficientes debido a que las estructuras de control tienen un mantenimiento muy pobre (ver Wade, 1982a).

2. Heckathorn (1984) estructura esto como una serie de juegos concatenados.

3. A partir del trabajo pionero de Walter Coward (1979), los sociólogos del riego han hecho hincapié en la importancia de una *carta constitutiva* que especifique los derechos y deberes de los regadores y el modo en que se tomarán las decisiones futuras, de forma legítima y valedera. Una carta constitutiva es un documento de constitución para un sistema de riego que determina las reglas a seguir en la toma de decisiones colectivas y las opciones operativas. Esta carta es similar a la clase de "carta" descrita en la Constitución de los Estados Unidos (ver también V. Ostrom, 1987).

4. Estos niveles existen sin tener en cuenta si la actividad humana organizada es pública o privada. Ver Boudreaux y Holcombe (1989) para una discusión de las reglas constitucionales en las asociaciones de propietarios de viviendas, condominios y ciertos tipos de lotificaciones habitacionales. Ver Tang (1991) para el caso de una aplicación específica al riego.

5. Al diseñar la constitución de una comunidad de regadores, por ejemplo, establecer el cuerpo legislativo requiere determinar cuántos representantes debe haber. La determinación del número de representantes

estará afectada por el esquema físico. Si hay cinco canales, tener un representante para cada canal podría funcionar bien. Si hay cincuenta canales, los participantes podrían querer agrupar los canales en ramas para efectos de elegir los representantes. En cualquier decisión constitucional que se tome relativa a la selección de representantes, el efecto sobre las prácticas de asignación resulta de las decisiones realizadas tanto en el nivel de elección colectiva como en el nivel operativo. Es sumamente difícil predecir éstas con alguna certeza, con anterioridad a la experiencia adquirida en un ambiente en particular. Ver la variedad de reglas documentadas en Tang (1992).

6. Ver Martin (1986) para descripciones detalladas de las diversas formas de asignación utilizadas en sistemas de riego de ladera administrados por campesinos en Nepal.

7. Muchas de las situaciones en que puede tener lugar el beneficio gratis tienen su estructura inicial en un "Dilema de Prisioneros". La tarea de diseñar instituciones consiste en cambiar los estímulos de manera que el beneficio gratuito no continúe siendo la estrategia dominante, *o, como opción alternativa,* convertir el problema en una situación repetitiva donde uno de los posibles equilibrios sea el alto nivel de participación y estimular los deseos de buscar y retener este equilibrio (ver E. Ostrom, 1990).

8. Ver la discusión en Chambers (1980) relacionada al alto nivel de conflicto que tiene lugar dentro de los sistemas de riego y la cantidad de tiempo invertido en la resolución de conflictos por los dirigentes o administradores locales.

9. Los proyectos de riego administrados por el gobierno en Japón, Corea y Taiwán son excepciones importantes a la falta de controles y sanciones aplicados a los empleados de gobierno en cuanto al no cumplimiento y a las acciones ilegales.

10. Algunas de las perversidades de este tipo de sistema han sido tratadas por Wunsch y Olowu (1990).

11. Esto no ocurre cuando la institución responsable de la administración de un sistema grande tiene su propio método de asignación que no encaje con el que utilizan los campesinos (ver, por ejemplo, Reidinger, 1974).

CAPITULO CUATRO

Principios de diseño para sistemas de riego autoorganizados y de larga duración

Los usuarios y los suministradores de los sistemas de riego deben diseñar una amplia variedad de arreglos institucionales para afrontar las características físicas, económicas, sociales y culturales de cada sistema. Importantes estudios realizados en el mundo entero ilustran estas variaciones en las reglas en uso (Uphoff, 1986). Aún más sorprendente es la diversidad de reglas utilizadas en ramales separados de pequeños sistemas autoorganizados.

El estudio realizado por Rita Hilton en 1990 sobre el Sistema de Riego de Karjahi, en Nepal—un sistema dirigido por campesinos durante muchas generaciones—ilustra esta diversidad. El pequeño sistema de Karjahi da servicio a entre 460 y 500 hectáreas y a unas 200 familias. Se divide en siete *maujas* para fines administrativos, y cada *mauja* elabora sus propias reglas.

En Karjahi y Bergain, el área de cabecera siempre recibe agua primero mientras que el área del otro extremo del sistema la recibe por último. En Buruwagaon, el patrón es al revés: el extremo final siempre recibe el agua primero. El *mauja* de Gurgain también utiliza un patrón fijo, pero el punto de inicio de la distribución se rota anualmente. La parcela que primero recibe agua en el año "t-1" recibe en último lugar en el año "t". Dos *maujas* adicionales (Guruwagaon y Pakwai) utilizan cierto tipo de rotación en sus áreas, pero el punto de inicio de esta rotación no está marcado en ningún patrón, sino que se determina cada año. En el *mauja* restante (Bachaha) se determina el modo de distribución del agua sobre una base anual. El criterio básico utilizado en la selección del patrón para cualquier año determinado es la necesidad: La parcela más seca recibe agua primero. (Hilton, 1990: 25)

A pesar de la diversidad de reglas específicas utilizadas dentro de las unidades administrativas del sistema de Karjahi, éstas utilizan, sin embargo, un conjunto uniforme de principios de diseño. Esto es típico en muchos otros sistemas autoorganizados de larga duración.

Concentrarse en reglas específicas al analizar y prescribir instituciones para sistemas de riego es como concentrarse en planos específicos para la construcción de proyectos exitosos de riego en todo el mundo: Estos planos difieren en cada proyecto. Cuando los participantes locales elaboran activamente reglas que se ajustan a sus propias circunstancias variables en el tiempo, sus reglas en uso también son diferentes. Aunque los planos varían, hay principios de ingeniería que son comunes en los planos que se utilizan para construir estructuras físicas. De forma similar, las reglas establecidas para un sistema determinado se basan en *principios de diseño* que los usuarios han desarrollado al crear sus propias instituciones de riego.

Los trabajos empíricos y teóricos realizados recientemente sobre diseño institucional han procurado poner de manifiesto los principios de diseño comunes en muchas instituciones de riego autoorganizadas y de larga duración.[1] Un principio de diseño es un elemento o condición que ayuda a explicar el éxito logrado por las instituciones en el mantenimiento de sus obras físicas y en la obtención de la aceptación de las reglas en uso por generaciones de usuarios. Un sistema de riego "de larga duración" es aquél que ha estado en funcionamiento por lo menos durante varias generaciones. Aunque es imposible evaluar con precisión la eficiencia de estos sistemas, la disposición repetida de los usuarios a invertir mano de obra y otros recursos constituye una fuerte evidencia de que los beneficios que reciben son superiores a los costos que asumen para su mantenimiento. No es nada inusual que un campesino dedique 20 días de trabajo al año para lograr el buen funcionamiento de estos sistemas. Los campesinos que dedican su valiosa mano de obra para cavar secciones de canal, reparar obras de distribución y operar presas, en vez de invertirla en otras actividades, están "votando" con sus espaldas para indicar su disposición continua de ayudar a conservar sus instalaciones compartidas. Si bien todos los sistemas de este tipo imponen castigos a los que no contribuyen con los recursos acordados, la magnitud de esas sanciones probablemente sea lo suficientemente leve para que la coerción no sea la explicación lógica de la continuidad del sistema. Por lo tanto, estos sistemas autoorganizados satisfacen la definición del Banco Mundial sobre sostenibilidad económica, aun cuando la eficiencia técnica de muchos podría mejorarse.

Los principios de diseño que caracterizan a las instituciones de riego autoorganizadas y de larga duración se enumeran a continuación. Para que estos principios de diseño constituyan una explicación convincente del sostenimiento de los sistemas de riego e instituciones relacionadas, se debe establecer la forma en que las reglas características de tales principios afectan los incentivos.

Primer principio de diseño: Linderos claramente definidos

Tanto los linderos del área de servicio como los de los individuos o familias con derecho a usar el agua de un sistema de riego están claramente definidos.

La definición de los linderos del sistema de riego y los de las personas autorizadas a utilizarlo puede ser considerada como un primer paso en el proceso de organización para lograr una acción colectiva; si alguno de estos linderos no está claro, nadie sabrá qué se está administrando ni para quién. Si no se definen los linderos del sistema y no se toman medidas para excluir a los intrusos, los regadores locales se enfrentan a la posibilidad de que los beneficios que han logrado sean recogidos por otros que no contribuyeron a su logro. Por lo tanto, para que los usuarios tengan un mínimo de interés en la coordinación de patrones de asignación de fondos y aprovisionamiento, algunos usuarios tienen que tener la capacidad de impedir que otros posibles usuarios tomen el agua.[2]

Generalmente, no basta con cerrar los linderos. Aun aquellos usuarios que tienen acceso autorizado pueden abusar de sus privilegios. Los campesinos que se encuentran en la cabecera del sistema podrían tomar tanta agua que el flujo al final podría ser imprevisible e inadecuado para usos agrícolas. El rendimiento efectivo del sistema puede ser mucho más bajo de lo que podría haber sido, aun cuando algunos campesinos hayan obtenido beneficios considerables. En consecuencia, además de cerrar los linderos, se necesitan reglas que limiten el uso y/u obliguen el suministro siempre que haya escasez de agua.

Segundo principio de diseño: Equivalencia proporcional entre beneficios y costos

Las reglas que especifican la cantidad de agua que se asigna a un regador están relacionadas con las condiciones locales y con las normas que ordenan las aportaciones en trabajo, materiales y/o contribuciones monetarias.

El añadir normas de asignación y distribución bien diseñadas a las reglas de linderos contribuye a garantizar la sostenibilidad de los sistemas de riego por sí mismos. Los sistemas de riego autoorganizados utilizan diferentes normas para movilizar recursos para la construcción o el mantenimiento y para pagar a los vigilantes. En las estructuras de larga duración, los que reciben la mayor proporción del agua también deben pagar la mayor parte de los costos.[3] Ningún conjunto único de reglas definido para todos los sistemas de riego en una región determinada tendrá este resultado.[4] El diseño de pautas para equiparar los costos y los beneficios debe tener en cuenta muchas de las características singulares de cada sistema.

Tercer principio de diseño: Arreglos de elección colectiva

La mayoría de los individuos afectados por las reglas de funcionamiento están incluidos dentro del grupo que puede modificar esas reglas.

Los sistemas de riego que utilizan este principio están en mejor condición de adaptar sus reglas a las circunstancias locales, debido a que los individuos que interactúan directamente entre sí y con el mundo físico pueden modificar sus normas a través del tiempo para ajustarlas mejor a las características específicas de sus ambientes.

Los usuarios que diseñan instituciones caracterizadas por los primeros tres principios de diseño deberían de ser capaces de idear reglas eficaces de funcionamiento si mantienen relativamente bajos los costos de cambiarlas.

Sin embargo, la presencia de reglas operativas eficaces no explica por qué los usuarios las siguen. Del mismo modo, el hecho de que fueron los mismos usuarios quienes diseñaron e inicialmente acordaron esas reglas tampoco explica adecuadamente la obediencia de generaciones de individuos que no formaron parte del acuerdo inicial. Convenir *ex ante* en seguir las reglas es un compromiso muy fácil de formular. El logro significativo consiste en seguir las reglas *ex post,* cuando ya están presentes fuertes tentaciones para no obedecerlas.

Los teóricos frecuentemente hacen desaparecer el problema de lograr que se cumplan con las reglas—no importa cuál sea su origen—al suponer la existencia de todopoderosas autoridades *externas* que hacen cumplir los acuerdos. En el caso de los sistemas autoorganizados, ninguna autoridad externa tiene suficiente presencia para jugar un papel de importancia en la aplicación diaria de las reglas en uso. Por lo tanto, la imposición externa no explica los altos niveles de obediencia. Sin embargo, en los sistemas de larga duración los regadores mismos realizan inversiones sustanciales en las actividades de supervisión y castigo. Esto nos conduce a considerar los principios cuarto y quinto.

Cuarto principio de diseño: Supervisión

Hay supervisores que auditan activamente las condiciones físicas y el comportamiento de los regadores y que son responsables ante los usuarios y/o son los usuarios mismos.

Quinto principio de diseño: Sanciones graduales

Los usuarios que violan las reglas de funcionamiento son susceptibles de recibir sanciones graduales (dependiendo de la seriedad y el contexto de la ofensa) de parte de los demás usuarios, de los funcionarios que responden ante éstos, o de ambos.

Ahora nos encontramos en el punto crucial del problema. En los sistemas de larga duración, las funciones de supervisión y de imposición de castigos son asumidas no por autoridades externas, sino por los mismos participantes. Las sanciones iniciales que se utilizan son también sorprendentemente leves. Aun cuando en los trabajos teóricos modernos se supone, con frecuencia, que los participantes no dedican tiempo ni esfuerzo a supervisar y castigar la ejecución de unos y otros, existe bastante evidencia de que los regadores hacen ambas cosas en las organizaciones de usuarios de larga duración.

Para explicar la inversión en actividades de supervisión y castigo que tiene lugar en estas robustas instituciones de auto-gestión, el término "cumplimiento cuasivoluntario", usado por Margaret Levi (1988: Capítulo 3) para describir el comportamiento de los contribuyentes fiscales en sistemas donde la mayoría de estos contribuyentes cumple con las leyes, resulta bastante útil. El pago de impuestos es *voluntario* en el sentido de que los individuos *optan* por cumplir en muchas situaciones donde no se encuentran directamente obligados. En cambio, es "*cuasivoluntario* debido a que los que no cumplen son susceptibles de ser sancionados si son descubiertos" (Levi, 1988: 52). Los contribuyentes, según Levi, adoptarán una estrategia de cumplimiento cuasivoluntario cuando están seguros de que

> (1) los reguladores cumplirán sus acuerdos y (2) los demás compañeros cumplirán los suyos. Los contribuyentes son actores estratégicos que cooperarán sólo cuando pueden estar seguros de que los demás también lo harán. El cumplimiento de cada uno depende del cumplimiento de los demás. Nadie desea que se le tome por un "tonto." (Levi, 1988: 53)

Levi destaca la naturaleza *contingente* de un compromiso de acatar reglas que es posible en un ambiente repetido. Los actores estratégicos están dispuestos a cumplir con un conjunto de normas, argumenta Levi, cuando (1) perciben que se alcanza un objetivo colectivo y (2) cuando observan que otros también acatan las reglas.

Levi no es la primera en hacer hincapié en la forma en que los individuos que interactúan a través del tiempo son capaces de utilizar un comportamiento contingente para combatir las conductas parásitas (ver, por ejemplo, Axelrod, 1981, 1984; Lewis y Cowens,

1983). Pero Levi recalca la importancia de la coerción como una *condición esencial* para alcanzar la forma de conducta contingente que ella ha identificado como cuasivoluntaria. En su explicación, la coacción aumenta la confianza en que no van a permitirse los comportamientos parásitos y en que los que colaboran con el sistema no son "tontos". En la medida en que los individuos confían en que otros están contribuyendo y en que se están generando beneficios conjuntos, estarán dispuestos a contribuir con recursos para obtener un beneficio colectivo. En el análisis de Levi, la coacción normalmente es ejercida por un regulador externo, aun cuando su teoría no excluye la existencia de otros agentes coercitivos.[5]

El compromiso en una organización de usuarios de agua de larga duración no puede explicarse por la coacción externa. En muchos casos, los regadores crearon sus propios controles *internos* para (1) disuadir a los que están tentados a romper las reglas y de esta manera (2) asegurar a los cumplidores cuasivoluntarios que los demás también cumplirán. Dada la evidencia de que los individuos efectivamente supervisan las acciones de los demás, los costos y beneficios relativos deben tener una configuración distinta a la postulada en trabajos anteriores. O los costos de supervisión interna son más bajos, o los beneficios que recibe un individuo son más altos, o ambas cosas.

En muchos sistemas de larga duración los costos de supervisión son bajos como resultado de las reglas en uso. Los sistemas de rotación de agua, por ejemplo, generalmente colocan a los dos actores más preocupados por el fraude en contacto directo, uno frente al otro. El regador que se acerca al final de su tiempo de rotación desea ampliar el tiempo de su turno (y por lo tanto la cantidad de agua obtenida). El siguiente usuario en el sistema de rotación espera ansioso a que el anterior termine y hasta desea empezar antes. La presencia del primer regador evita que el segundo empiece antes, y la presencia del segundo evita que el primero termine tarde. Ninguno tiene que invertir recursos adicionales en actividades de supervisión. El control es una consecuencia de sus propias motivaciones para usar su turno a plenitud. Muchas de las formas en que los equipos de trabajo están organizados también dan por resultado una supervisión natural.

Cuando la supervisión la lleva a cabo un agente que es responsable ante los demás usuarios, hay varios mecanismos que aumentan las recompensas por hacer un buen trabajo o por exponer a los holgazanes al riesgo de perder sus puestos. En algunos sistemas, los vigilantes reciben una parte de las multas que se aplican.[6] Todas los puestos formales de vigilante responden ante los usuarios; por lo tanto, los supervisores pueden ser fácilmente despedidos si son descubiertos pasando por alto alguna falta. Debido a que los usuarios tienden a continuar controlando a los vigilantes, así como también a los demás usuarios, se desarrolla cierta redundancia en el sistema de supervisión y castigos. El fracaso en impedir la violación de las normas mediante uno de los mecanismos no desata necesariamente un proceso en cascada de infracción de reglas, ya que se cuenta además con estos otros mecanismos potenciales. En consecuencia, los costos y beneficios de supervisar un conjunto de normas no son independientes del conjunto de reglas específicas adoptadas ni son uniformes en todas las situaciones.

Estos cinco principios de diseño permiten a los usuarios constituir y reconstituir sólidas instituciones de riego. Cuando los usuarios diseñan sus propias reglas de funcionamiento (Tercer Principio de Diseño) para ser puestas en práctica por individuos que son usuarios locales responsables ante ellos (Cuarto Principio de Diseño), utilizando sanciones graduales (Quinto Principio de Diseño) que definen quiénes tienen derechos y deberes con relación a un sistema de riego (Primer Principio de Diseño) y que asignan con eficiencia el agua disponible durante las diferentes estaciones del año y bajo otras condiciones locales pertinentes (Segundo Principio de Disñeo), el parasitismo y los problemas de supervisión se resuelven de una manera interrelacionada. Una vez que los usuarios hacen autocompromisos contingentes de colaborar, se ven motivados a supervisar el comportamiento de las demás personas, por lo menos de vez en cuando, a fin de asegurarse de que los demás están siguiendo las reglas.

Sexto principio de diseño: Mecanismos de resolución de conflictos

Los usuarios y sus funcionarios tienen rápido acceso a foros locales de bajo costo para resolver los conflictos entre usuarios, o entre éstos y funcionarios.

La aplicación de reglas pocas veces es un trabajo sin ambigüedades. Aun una regla tan sencilla como la que estipula que "cada regador debe enviar a un individuo para que ayude a limpiar, durante un día, los canales de riego antes de que empiece la estación de lluvia" puede ser interpretada de varias formas. ¿Quién es o quién no es un "individuo", de acuerdo con esta regla? ¿Enviar a un niño menor de 10 años, o a un adulto mayor de 70 para realizar un trabajo físico fuerte satisface este requisito? ¿Podría una persona trabajar entre cuatro y seis horas y decir que lo ha hecho por un "día"? ¿Limpiar el canal que queda justamente al lado de la tierra de su propiedad equivale a cumplir con la obligación contraída con la comunidad? Siempre hay formas de "interpretar" las reglas a fin de aducir que se ha cumplido, mientras que en realidad se está tratando de desvirtuar el intento. Aun los que tratan de seguir el espíritu de una regla pueden cometer errores. ¿Qué ocurre si alguien olvida que le toca ese día de trabajo y no se presenta? ¿Qué pasa si el único individuo en condiciones de realizar ese trabajo está enfermo o si se encuentra inevitablemente en otro lugar?

Si los individuos han de seguir reglas por un largo período de tiempo, se necesita un mecanismo para discutir y resolver qué constituye y qué no constituye una infracción de las mismas. Si a algunas familias de campesinos se les permite beneficiarse gratuitamente, enviando trabajadores mucho menos valiosos a laborar en un día de trabajo estipulado, los demás se sentirán engañados si envían a sus obreros más fuertes, quienes podrían estar trabajando para producir bienes privados en vez de bienes comunes. Con el paso del tiempo, sólo niños y viejos serían enviados a hacer un trabajo que requiere la intervención de adultos fuertes, y entonces el sistema se vendría abajo. Si los individuos honestos no son capaces de proveer la mano de obra requerida y el sistema no les permite compensar su falta de cumplimiento de una forma aceptable, entonces percibirán las reglas como injustas y descenderá el nivel de conformidad.

Aunque la presencia de mecanismos para resolver los conflictos no garantiza que los usuarios sean capaces de mantener instituciones duraderas, es difícil imaginarse cómo un sistema complejo de reglas podría mantenerse a través del tiempo sin tales mecanismos. En cualquier sistema, la asignación de tierra y la organización de subgrupos puede aumentar o disminuir el nivel de conflictos que afrontan sus miembros. Cuando los individuos poseen tierra en los dos extremos de un sistema, el conflicto entre los campesinos de la cabecera y los del otro extremo será menos severo que cuando ningún interés cruzado suaviza los antagonismos grupales (ver Coward,

1979; Downing, 1974). En muchos sistemas de riego, los mecanismos de resolución de problemas son informales y los que son elegidos como líderes son también los árbitros básicos en los conflictos.

Séptimo principio de diseño: Reconocimiento mínimo del derecho a organizarse

Los derechos de los usuarios a diseñar sus propias instituciones no son objetados por las autoridades externas o del gobierno.

Este principio refleja el hecho de que muchos grupos de usuarios de agua se organizan *de facto,* en formas que no son reconocidas por los gobiernos nacionales como modos legítimos de organización. En consecuencia, los líderes de estas formaciones no pueden abrir legalmente una cuenta bancario a nombre de la organización o representar los intereses de sus miembros ante los cuerpos administrativos o judiciales. Las decisiones tomadas por las asociaciones de usuarios podrían no ser ejecutadas por la policía o por los tribunales formales. Sin el reconocimiento oficial del derecho a organizarse, es difícil hacer responsables de sus actos a los funcionarios o miembros de los grupos de usuarios.

La organización *de facto* es suficiente en lugares aislados donde se utiliza el riego básicamente para la subsistencia agrícola. Pero tan pronto como se construyen carreteras que crean oportunidades de mercado para el excedente de producción, parece ascender el nivel de conflicto sobre la asignación de agua a diferentes campesinos o usos. Si los agentes del gobierno utilizan su autoridad para apoyar a los que se niegan a seguir las reglas de una organización *de facto,* los demás participantes probablemente no sigan las normas tampoco. Una asociación eficaz de regadores a la que le falta el reconocimiento formal podría desaparecer rápidamente cuando su autoridad para elaborar reglas para "sus propios miembros" es desafiada por el gobierno oficial.

Octavo principio de diseño: Empresas concatenadas

Las actividades de asignación, aprovisionamiento, supervisión, sanción, resolución de conflictos y gestión están organizadas en capas múltiples de empresas concatenadas.

Los grandes sistemas de riego de larga duración por lo general están organizados en muchos niveles de organizaciones concatenadas. Los equipos de trabajo pueden ser tan pequeños como de cuatro o cinco personas. Todos los regadores que utilizan una subdivisión particular de un sistema de riego pueden formar la base para otro nivel de organización. Un tercer nivel puede incluir a todos los campesinos que reciben servicios desde una misma toma o cabecera. Un cuarto nivel puede incluir a todos los sistemas que reciben servicio del mismo río. Si el Séptimo Principio de Diseño funciona, todas estas organizaciones de riego estarían concatenadas en jurisdicciones políticas estructuradas externamente (ver Coward, 1979).

Mediante la concatenación de niveles de organización unos entre otros, los regadores pueden aprovechar muchas diferentes escalas de estructuración. Los equipos de trabajo a pequeña escala ayudan a prevenir el parasitismo, debido a que cada uno controla a todos los demás. Las empresas a gran escala permiten a los sistemas aprovechar las economías de escala en su caso y añadir capital para la inversión. Al utilizar más de una escala de organización, muchos sistemas de riego administrados por campesinos han mantenido estructuras de riego a gran escala por largos períodos de tiempo, confiando básicamente en sus propios recursos—sin ayuda extensiva por parte de organizaciones externas.[7]

Conclusión

Estos ocho principios de diseño han sido expuestos de manera general. Las formas específicas en que los suministradores y usuarios de agua de riego han diseñado reglas que cumplen con estos principios varían en sus detalles. Todas las instituciones exitosas de larga duración que parecen estar basadas en diseños con fundamentos bastante diferentes han desarrollado medidas para adecuar los costos de construcción y mantenimiento de los sistemas de riego a los beneficios que se obtienen. Unos pocos ejemplos pueden ayudar al lector a entender la diversidad de reglas específicas que cumplen con el Segundo Principio de Diseño.

Las *zanjeras* del norte de las Filipinas

Estos sistemas autoorganizados obtienen derechos para el uso de tierras no irrigadas anteriormente del propietario de un latifundio mediante la construcción de un canal que irrigue las tierras del terrateniente, así como las de una *zanjera*. En el momento en que la tierra es distribuida, cada campesino que se compromete a obedecer las reglas recibe un conjunto de derechos y deberes en la forma de *atars*. Cada *atar* define tres parcelas de tierra ubicadas en las secciones de cabecera, media y final del área de servicio donde el propietario cultiva la tierra. Las responsabilidades de la construcción y el mantenimiento son asignadas por *atars*, al igual que los derechos de votación. En las estaciones de lluvia, el agua se distribuye libremente. En un año seco, el agua podría asignarse sólo a las parcelas ubicadas en la sección de la cabecera y la sección media. Por lo tanto, todo el mundo recibe agua en tiempos de abundancia y de escasez en una proporción aproximada a la cantidad de *atars* que posee. Los *atars* se pueden vender a otros con permiso de la asociación de usuarios, y son heredables (ver Siy, 1982; Coward, 1979).

Thulo Kulo en Nepal

Cuando se inició este sistema en 1928, 27 familias contribuyeron a un fondo para la construcción del canal y recibieron acciones del sistema en proporción a la cantidad invertida por cada uno. Desde entonces, el sistema ha sido ampliado varias veces mediante la venta de acciones adicionales. Presas o compuertas de medición o derivación se instalan en ubicaciones clave de manera que el agua se asigne automáticamente a cada campesino, de acuerdo al número de acciones que posee. Las tareas de supervisión y mantenimiento de rutina son distribuidas a equipos de trabajo de modo que cada uno participe proporcionalmente, pero las reparaciones de emergencia requieren inversiones en mano de obra por parte de todos los accionistas, sin importar el tamaño de su participación (ver Martin y Yoder, 1983; Martin, 1986).

La huerta de Valencia en España

En 1435, ochenta y cuatro regadores que recibían servicio de dos canales interrelacionados se reunieron en el Monasterio de San Francisco, en Valencia, para elaborar y aprobar reglas formales que especificaban quién tenía derecho al agua de esos canales, cómo se distribuiría ésta en años buenos y en años malos, y cómo se compartirían las responsabilidades de mantenimiento. La moderna huerta de Valencia, compuesta por estos dos canales más seis adicionales, ahora da servicio a cerca de 16.000 hectáreas de tierras y a 15.000 campesinos. El derecho al agua se hereda con la tierra misma y no puede comprarse o venderse independientemente de la tierra. Los derechos al agua son proporcionales a la cantidad de tierra que se posee, al igual que las obligaciones de contribuir con el costo de las actividades de supervisión y mantenimiento (ver Maass y Anderson, 1986; E. Ostrom, 1990).

Estos tres tipos de sistemas son bastante diferentes unos de otros. Las *zanjeras* son mecanismos institucionales para trabajadores que no poseen tierras que les permiten adquirir derechos de usufructo sobre la tierra y el agua y hasta podrían denominarse sistemas comunales. El sistema *Thulo Kulo* se aproxima en la mayor medida posible dentro de un sistema de riego a la meta de asignar derechos de propiedad privados y separables al agua. Por siglos, la huerta de Valencia ha mantenido derechos al agua y a la tierra que prohíben la separación de los derechos al agua de la tierra a la que sirven. El sistema valenciano difiere de los otros dos sistemas, el "comunal" y el de "propiedad privada", debido a que los derechos al agua están fuertemente ligados a la propiedad privada de la tierra. Subyacente a estas diferencias, sin embargo, se encuentra el principio de diseño básico que señala que los costos de construcción, operación y mantenimiento de estos sistemas deben ser aproximadamente proporcionales a los beneficios que obtienen los regadores.

Es importante tener estas diferencias en mente al discutir la aplicación de los principios de diseño. Los términos como "privatización" podrían enmascarar importantes principios subyacentes en vez de facilitar guías útiles para la reforma. La estricta privatización de los derechos al agua no es una opción factible dentro del marco institucional amplio de muchos países. En cambio, sí es posible autorizar a los suministradores y usuarios de agua de riego a diseñar su propio sistema—los Principios de Diseño Tercero y Séptimo combinados. Si se permite a los participantes crear sus propias reglas y se les estimula a aprender acerca de la forma en que otros han superado difíciles problemas de diseño, podríamos esperar que aquéllos, así motivados, encuentren soluciones a sus propios problemas institucionales. La proporción de sistemas autoorganizados que han tenido éxito puede aumentarse si los gobiernos centrales invierten en instalaciones institucionales de tipo general que amplíen las capacidades de los que intervienen directamente para aprender nuevas formas de gobernar y administrar sus sistemas, crear reglas exigibles y castigar el comportamiento contrario a estas reglas.

Notas

1. La metodología utilizada para derivar estos principios de diseño está contenida en E. Ostrom (1990), al igual que la derivación original de los mismos. El trabajo anterior de Coward, Chambers, V. Ostrom, Uphoff y Wade ejerció gran influencia en mis ideas sobre este tema.

2. Ciriacy-Wantrup y Bishop (1975) mencionan los linderos como la única característica que define a las instituciones de "propiedad común", en contraste con las instituciones de "libre acceso". Algunas veces queda implícito que esto es todo lo que se necesita para conseguir una regulación exitosa. Colocar este atributo como uno entre ocho, y no como atributo único, sitúa su importancia en una perspectiva más realista.

3. Walter Coward (1979) identificó este principio de diseño como la característica más importante para el éxito de los sistemas de riego que él había examinado. El mismo fue también identificado por Mancur Olson (1969) como un principio muy general—llamado equivalencia fiscal—de cualquier institución pública que quisiera lograr un uso eficiente de sus recursos.

4. Algunas veces se argumenta que las reglas que definen la propiedad común no necesitan estar tan completamente especificadas y detalladas como las que definen la propiedad privada. Por ejemplo, Runge (1986: 33–34) argumenta de la siguiente manera:

> Si la propiedad común—el derecho individual de uso conjunto—es la norma, deben consignar y definirse un número comparativamente menor de reclamos. Podría también dar como resultado una menor claridad en la asignación de los derechos (por lo menos según las normas de Occidente). Sin embargo, esto se equilibra con una reducción de los costos sociales de la asignación y la definición.

Esto sólo es cierto si uno quiere decir que los costos de determinar los linderos físicos para uso individual se eliminan y que sólo deben determinarse los límites de la fuente misma. No es cierto en relación con las reglas detalladas que se requieren para controlar la forma en que los propietarios comunes deben asignar y proporcionar el recurso.

5. En los sistemas de riego que son propiedad del gobierno y manejados por dependencias del mismo, la dependencia también podría suministrar el tipo de supervisión y castigo que Levi tiene en mente. Robert Wade (1987) tiene un punto de vista similar en cuanto al deseo de muchos regadores de obedecer ciertas reglas razonables, si antes reciben la seguridad de que otros también lo harán y de que los que no obedezcan recibirán un castigo.

> En muchas situaciones, los regadores individuales no se atreven a romper las reglas de agua *si* tienen confianza en que los demás tampoco lo harán y *si* están seguros de que recibirán tanta agua como en justicia les corresponde (aún cuando no sea tanta como ellos desearían). Parecen sentirse menos inclinados al fraude cuando confían en que, al no hacerlo, no serán los "tontos". Cuando las personas se sienten motivadas por un cálculo al estilo de "yo no lo haré si tú no lo haces", entonces una institución (como un departamento de riego) que les asegura de que estas expectativas están justificadas puede promover el cumplimiento voluntario de las reglas. (Wade, 1987: 178; énfasis del autor).

6. En algunos sistemas, los vigilantes reciben una parte de la cosecha al final del año. Con este tipo de pago, los ingresos de los propios vigilantes dependen de su capacidad para mantener al nivel más elevado posible la confianza en el sistema, a fin de que los campesinos que reciben el servicio puedan producir lo más posible.

7. Ver Maass y Anderson (1986), Siy (1982) y Pradhan (1989a, 1989b) para descripciones de sistemas de riego más grandes y más complejos que recurren a arreglos institucionales concatenados.

La autora utiliza el término *nested* para describir estos arreglos institucionales y que se puede traducir literalmente como "anidados". Sin embargo, por razones de mayor claridad lo hemos traducido por "concatenado" (nota sobre la traducción).

CAPITULO CINCO

La aplicación de los principios de diseño

Los principios de diseño discutidos en el Capítulo 4 se derivan del análisis de sistemas de riego autoorganizados, de larga duración, ubicados en diversos países. Muchos de estos sistemas operan ahora dentro de instituciones sofisticadas de múltiples niveles, diseñadas sobre el transcurso de largos períodos de tiempo, aun cuando sus estructuras físicas son relativamente sencillas. La supervivencia a través del tiempo no implica una ejecución óptima, aun cuando demuestra sostenibilidad. La autoorganización no garantiza el diseño de instituciones óptimas.

Frecuentemente es difícil ajustar las reglas a las circunstancias locales. No todos los sistemas encuentran un conjunto de normas que responda adecuadamente a los problemas que afrontan. Estos sistemas o funcionan laboriosamente con sus constantes conflictos y su insuficiente movilización de recursos, o sencillamente no sobreviven. Las inversiones anteriores en capital físico y social se desperdician y los campesinos regresan a la agricultura de tierra seca, generando rendimientos muy por debajo de lo que podrían conseguir con el riego.

Debido a que las instituciones son invisibles, para los observadores externos no es obvio que un sistema de riego determinado, organizado por campesinos, se rija por reglas que reúnen los criterios de diseño descritos en el Capítulo 4. Lo que pueden ver son las obras temporales de distribución, los canales sin revestir y la ausencia de los modernos mecanismos de control que caracterizan a los grandes sistemas de riego estructurados por agricultores. Entre los sistemas organizados por campesinos, tanto los exitosos como los marginales dan impresión de primitivos e ineficaces a un ingeniero que espera ver presas de distribución permanentes, canales revestidos y una eficiente ubicación de todos los trabajos físicos.

La asistencia técnica externa y mejores trabajos físicos pueden elevar la eficiencia y el rendimiento agrícola de los sistemas de riego organizados por campesinos. También se pueden conseguir aumentos significativos en el rendimiento mejorando el funcionamiento de los sistemas existentes (ver Capítulo 1). Sin embargo, los intentos de las organizaciones externas por proporcionar asistencia a los sistemas de riego administrados por agricultores también han afectado negativamente el desempeño de estos.

Los análisis de estos intentos fracasados han señalado una falta de conocimiento, por parte de los diseñadores del proyecto, de las instituciones ya existentes (Coward, 1985). Los diseñadores de proyectos de reconstrucción que han fracasado frecuentemente suponían que no existía nada de valor con anterioridad a los trabajos físicos que ellos habían planeado. La asombrosa cantidad de reconstrucciones exitosas de sistemas de riego organizados por campesinos en las Filipinas y Nepal son prueba del potencial de mejoría de estos sistemas cuando los diseñadores de los proyectos son conscientes de que tanto las instituciones existentes como los agricultores deben involucrarse directamente en el diseño de los nuevos trabajos físicos y en las organizaciones que financiarán y pondrán en marcha dichos sistemas (ver F. Korten y Siy, 1988; Pradhan, 1989b).

La necesidad de aplicar principios de diseño institucional es aún más urgente cuando examinamos aquellos grandes sistemas de riego, propiedad del gobierno, que han demostrado ser insostenibles. Muchos de estos sistemas tienen obras de distribución permanente, canales revestidos y modernos mecanismos de control. Pero como expresamos anteriormente, se ha realizado poco mantenimiento y el nivel de conflicto, temor y desconfianza entre los campesinos es considerable. El diseño de instituciones que perfeccionen estos sistemas nuevos es bastante más difícil que mejorar el funcionamiento de los ya existentes, organizados por campesinos.

En la mayoría de estos sistemas grandes, se cumplen pocos de los principios de diseño presentados en el Capítulo 4, aun en un grado menor. Los linderos de las áreas que reciben servicio son algo vagos en la práctica y nadie está del todo seguro sobre quién recibe agua. Los campesinos que obtienen servicio sólo pagan una pequeña parte, si es que lo hacen, del costo relacionado con la construcción, operación y mantenimiento. Ni los campesinos ni los funcionarios del gobierno que tienen que ver con la operación diaria participan en el diseño de las reglas del sistema. No se controla ni se sanciona el comportamiento de nadie y se dispone de pocos mecanismos de resolución de conflictos. Donde los campesinos reciben estímulos formales para organizarse, los funcionarios insisten en que todo el mundo siga el mismo plan organizativo.

Los principios de diseño son instrumentos potencialmente poderosos para *diagnosticar de explicar* por qué algunos proyectos de riego no son sostenibles. También se pueden usar para *prescribir* reformas si esas propuestas presuponen que la reforma es un proceso dinámico que debe involucrar a los usuarios del agua. Sin embargo, los cambios basados sobre estos principios de diseño podrían generar considerable oposición. Por ejemplo, el Segundo Principio de Diseño (conjuntamente con el enfoque general esbozado en este estudio) requiere que los beneficiarios de los proyectos de riego cubran por lo menos los costos ordinarios de operación de esos proyectos. Las propuestas que cumplen con este principio con frecuencia han encontrado fuerte resistencia. Si tal oposición no se prevé y comprende, la propuesta de reforma que aplica estos principios de diseño tiene poca probabilidad para su implantación a largo plazo.

Por esta razón, en la siguiente sección se analiza el reciente apoyo financiero para proyectos de riego y las fuentes de resistencia al cambio en estas instituciones financieras. Se revisa la experiencia de un largo esfuerzo por conseguir la reforma utilizando los ocho principios de diseño. La sección final recomienda estrategias específicas para organizaciones donantes y gobiernos anfitriones para mejorar el desempeño de las instituciones de riego.

Incentivos financieros e instituciones de riego

Una fuente frecuente de oposición a la reforma parte del modo en que se han financiado los proyectos de riego grandes—y hasta algunos proyectos pequeños administrados por campesinos.[1] Los fondos para la construcción, operación y mantenimiento de los sistemas generalmente provienen del pago de los impuestos de los contribuyentes del país en el que está ubicado el sistema de riego, o de los contribuyentes de aquellas naciones que están proporcionando ayuda económica. Esto explica la ausencia de un vínculo financiero entre el suministro y el uso. Que los recursos así movilizados se inviertan directamente en la construcción y funcionamiento de sistemas de riego o que sean desviados por algunos individuos para el disfrute de políticos o contratistas depende del profesionalismo de los que intervienen y de los esfuerzos activos por controlar y castigar el desvío de recursos. Cuando los usuarios finales intervienen en la construcción y ejecución, facilitan un control de bajo costo sobre la forma en que se utilizan los recursos. Cuando no se involucra a los usuarios, se requieren costosos sistemas de auditoría que raras veces se proporcionan. En consecuencia, una parte considerable de los fondos movilizados se desvía hacia otros propósitos diferentes de aquéllos para los cuales estaban destinados.

Más aún, el diseño de proyectos está orientado más a captar la aprobación de los que patrocinan la nueva construcción que a suministrar mecanismos que resuelvan los problemas que afrontan los usuarios actuales y futuros. Para convencer a los políticos de que una gran parte del presupuesto nacional debe ser dedicada a la construcción de proyectos de riego, los planificadores procuran crear diseños "políticamente atractivos". Esto significa que los políticos que apoyan estos gastos pueden afirmar que los recursos de los votantes se están invirtiendo en proyectos que aumentarán enormemente la cantidad de alimentos disponibles y, por lo tanto, el costo de vida será más bajo.

Para convencer a las organizaciones donantes externas que los proyectos de riego más importantes deben ser financiados a través de préstamos o donaciones, el criterio evaluativo utilizado para la selección de proyectos tiene que jugar un papel muy importante en el diseño de los mismos. Los ingenieros, que generalmente carecen de experiencia como agricultures y de capacitación como analistas institucionales, frecuentemente aspiran a obtener apoyo político o financiamiento internacional. Como resultado, sus proyectos probablemente no sean capaces de dar un servicio eficiente a la mayoría de los pequeños productores agrícolas y, por lo tanto, desincentivan a los usuarios de invertir en el mantenimiento futuro de esos proyectos. La ineficiencia se da en casi todas las etapas. Al mismo tiempo, este proceso inicial conduce a la construcción de proyectos que generan sustanciales beneficios para grandes terratenientes y un fuerte apoyo político para el gobierno.

Todos los tipos de comportamiento oportunista son estimulados, en lugar de disuadidos, por (1) la disponibilidad masiva de recursos para subvencionar la construcción y operación de proyectos de riego a gran escala y (2) la disposición (y hasta el anhelo) de los líderes nacionales por subvencionar el agua como importante insumo para la producción agrícola. Los intercambios corruptos entre funcionarios y contratistas particulares son una forma de oportunismo notoria y muy generalizada; los pagos ilegales hechos por los campesinos a los funcionarios responsables del riego son mucho menos conocidos pero probablemente no menos generalizados. El parasitismo por parte de los que reciben beneficios y la falta de confianza entre campesinos y funcionarios, así como entre los campesinos mismos, son endémicos. Más aún, los posibles beneficios que podrían obtener los grandes terratenientes del agua gratuita para riego estimula el esfuerzo por influir en las decisiones políticas sobre el lugar donde deben ubicarse y la forma en que deben financiarse los proyectos. Por su parte, los políticos obtienen apoyo al decidir quién se beneficiará de esas rentas económicas artificialmente creadas.

Robert Bates explica muchas de las características de las políticas agrícolas africanas, argumentando que las "ineficiencias más importantes persisten *debido a que* son políticamente útiles; las ineficiencias económicas facilitan a los gobiernos medios para retener el poder" (Bates, 1987: 128). Una parte del argumento de Bates se refiere al control artificial que se ejerce sobre los precios pagados por los productos agrícolas, un tema que no se ha tocado en este estudio. El otro aspecto del argumento de Bates se refiere a la reducción artificial de los precios de los insumos.

Cuando bajan los precios de los insumos, las fuentes privadas suministran cantidades menores, los usuarios piden más, y el resultado es un exceso de demanda. Una de las consecuencias es que los insumos adquieren un nuevo valor; el desabastecimiento creado artificialmente genera una recompensa económica para aquéllos que los adquieren. Otra consecuencia es que, con control de precios, el mercado no puede distribuir los insumos pues se encuentra desabastecido. En vez de ser distribuidos a través de un sistema de fijación de precios, deben ser racionados. Los que están a cargo del mercado regulado adquieren, de esta manera, la capacidad de ejercer su albedrío y así conferir los recursos a los cuyos favores desean. . . .

Los programas públicos que distribuyen crédito agrícola, servicios de alquiler de tractores, semillas y fertilizantes, y que otorgan acceso a los esquemas de riego administrados por el gobierno y a las tierras públicas se convierten, por consiguiente, en instrumentos de organización política en la campiña africana. (Bates, 1987: 130)

De manera que hay una dimensión adicional para la caza de rentas en muchos países en desarrollo: las pérdidas que los consumidores y los contribuyentes acumulan a causa de las actividades de los cazadores de rentas y de la adquisición de los recursos necesarios para acumular y retener el poder político. Todas las formas de comportamiento oportunista son, por lo tanto, exacerbadas en un ambiente en el cual se encuentra disponible una abundancia de fondos para la construcción de nuevos proyectos de riego, con frecuencia a gran escala, que facilitan agua subvencionada. Este es precisamente el ambiente político y financiero al que los suministradores de agua se han enfrentado durante los últimos años en la mayoría de los países en desarrollo. Estos han dispuesto de gran ayuda económica por parte de las naciones desarrolladas, a través de préstamos bilaterales y multilaterales y acuerdos de cooperación.

Comparados con las grandes cantidades de dinero que han estado disponibles para la construcción de proyectos de riego, los honorarios oficiales cobrados a los campesinos que reciben el servicio a través de los sistemas de riego ejecutados por el gobierno en muchos países han sido minúsculos. Un estudio reciente sobre el ingreso oficial recibido de los campesinos de Indonesia, Corea, Nepal, las Filipinas, Tailandia y Bangladesh indica que sólo en las Filipinas son iguales o superiores los honorarios cobrados a los costos de funcionamiento y mantenimiento de los sistemas. Pero ninguno de estos países ha cobrado lo suficiente para satisfacer una pequeña proporción de los costos de amortización del capital (Repetto, 1986: 5). El "precio" real que los campesinos pueden pagar en sobornos está muy lejos de ser minúsculo en algunos proyectos; sin embargo, estos "honorarios" no se reflejan en los registros públicos ni se utilizan para la ejecución y mantenimiento de los sistemas de riego (excepto para dar sobornos a empleados de bajo nivel que son bastante mayores que sus cheques de sueldo oficiales). La cantidad de sobornos y de honorarios pagados a operadores de pozos entubados demuestra la disposición de los campesinos de pagar mucho más que los actuales precios subvencionados para conseguir agua en forma fiable. Los campesinos también derivan mayores rendimientos agrícolas del servicio de proveedores particulares que de los públicos, debido a que el suministro de agua es más seguro (Repetto, 1986: 7).

Muchos analistas perciben la generosidad financiera para el diseño y construcción de sistemas de riego nuevos, combinada con la falta de financiamiento para la operación y mantenimiento, como la principal causa de los graves problemas a que se enfrentan los proyectos de riego en los países en desarrollo. El cambio de las reglas que vinculan el suministro de fondos con el uso de agua frecuentemente se señala como una prioridad para la reforma (Easter, 1985; Repetto, 1986; Small et al. 1986; Wade, 1987; O'Mara, 1989), pero no es apoyado de manera uniforme por los investigadores que han pasado largos períodos de tiempo en el campo, observando los sistemas de riego (ver en particular Moore, 1989). Las organizaciones donantes han estimulado a los gobiernos nacionales para que se comprometan a efectuar cambios importantes en cuanto a la forma en que son financiadas las obras de riego, pero el personal de estas organizaciones también se enfrenta a incentivos que le impiden adoptar una postura fuerte para recobrar los costos ordinarios, y mucho menos los costos de capital. Gran parte de la atención dirigida a las evaluaciones del desempeño de estos funcionarios tiene que ver con la facilidad con la que mueven grandes cantidades de dinero y administran proyectos. La bien conocida estrategia triunfante para satisfacer estos criterios de desempeño es la aprobación de un número pequeño de proyectos grandes de gran intensidad de capital (ver discusión en Tendler, 1975; E. Ostrom, Schroeder y Wynne, 1990). Además, el personal de la organización donante frecuentemente es asignado a un país o región determinada por un período de tiempo relativamente corto. Aunque muchos proyectos auspiciados por entidades donantes son financiados con la contingencia de que los beneficiarios paguen honorarios por uso para financiar los costos ordinarios de operación, la corta estancia del personal de la entidad imposibilita la tenacidad necesaria para asegurar el cumplimiento efectivo de esta estipulación. Nuevos funcionarios que no están enterados de este compromiso son transferidos a la localidad; mientras tanto, el sistema se ha deteriorado por falta de financia-miento. La obvia necesidad de reconstrucción conduce a los nuevos funcionarios a aprobar otra reconstrucción más—un proyecto grande de gran intensidad de capital. La facilidad con que ha sido posible obtener financiamiento para la reconstrucción de proyectos grandes en los que no se realizó mantenimiento ha transmitido mensajes equívocos a los gobiernos anfitriones respecto a cuán serias son realmente las organizaciones donantes sobre la necesidad de reformar el financiamiento de los sistemas de riego (u otras importantes obras de infraestructura).

Sin embargo, las propuestas para aumentar las cuotas de los usuarios en los sistemas de riego propiedad del gobierno encuentran una fuerte oposición por parte de campesinos, políticos y funcionarios de riego. Los organismos donantes internacionales han argumentado, desde hace tiempo, que las instituciones nacionales de riego deberían cobrar cuotas que por lo menos cubran los costos ordinarios de operación, si no algunos de los costos de capital también. Es fácil entender por qué los campesinos se oponen a aumentar las cuotas oficiales que se supone deben pagar. Los beneficios económicos obtenidos como resultado de los costos de insumos artificialmente bajos rápidamente se incorporan nuevamente al valor de la tierra en la forma de capitalización cuando se tiene acceso a agua barata. Por lo tanto, un cambio en la estructura de los honorarios significa que no sólo los campesinos tendrán que pagar sustancialmente más por el agua, sino que el valor de la tierra bajará de igual manera. Los propietarios de tierra que tienen acceso al agua subvencionada están en capacidad de obtener muchos de los beneficios artificiales en los precios que imponen a los arrendatarios. Pero el arrendatario muy probablemente será la persona que tendrá que pagar el aumento en las cuotas por agua.

La resistencia de los campesinos a un aumento en las cuotas tiene una base objetiva. Si las cuotas cobradas por el agua en algunos proyectos subieran lo suficiente para cubrir *tanto los costos ordinarios como los de capital*—y si efectivamente se hiciera cumplir esta política—muchos campesinos estarían en mejores condiciones sin el beneficio del riego. No podrían ganar suficiente dinero mediante el aumento de sus rendimientos para cubrir los costos marginales de las cuotas por riego más altas. Un estudio reciente que examinó la posibilidad de imponer cargos por agua que cubrieran los costos totales en Indonesia, Corea, Nepal, las Filipinas y Tailandia concluye que "los beneficios del riego no son lo suficientemente grandes como para hacer posible la total recuperación de los costos en ninguno de los cinco países, sin que los campesinos queden peor de lo que estaban antes de la introducción del riego" (Small et al., 1986, citado en Repetto, 1986: 8). En otras palabras, los beneficios totales generados por estos proyectos no son, en la práctica, mayores que los costos de los mismos. Los campesinos, naturalmente, se niegan a pagar por los excesos del pasado.[2]

La situación mejora sólo ligeramente cuando se contemplan las cuotas que cubren los costos ordinarios solamente, sin tratar de recuperar todas las inversiones de capital realizadas en el pasado. Por un lado, el mismo estudio concluye que los beneficios totales que se derivan de los proyectos de riego en los cinco países señalados anteriormente son suficientes para que los campesinos pudieran cubrir los costos ordinarios. Pero, aun aquí, los campesinos tienen preocupaciones objetivas. Los beneficios y costos totales están por encima del rendimiento excesivamente variable de los diferentes proyectos. En la actualidad, los beneficios obtenidos del riego en algunos proyectos puede que no cubran completamente ni siquiera los costos ordinarios. Más aún, las cuotas por agua no están ligadas al rendimiento del sistema. Si las cuotas no están relacionadas con la disponibilidad y previsibilidad del agua, los campesinos podrían tener que pagar por agua que nunca reciben. En muchos países en desarrollo, las cuotas por agua se usan como un ingreso general de los gobiernos nacionales y no son distribuidas realmente a las organizaciones de riego. Estas, por lo tanto, no dependen del cobro de las cuotas para sus ingresos operativos. Pero cuando el personal de la organización es incapaz de responder a las preocupaciones de los campesinos a menos que se les soborne, los campesinos comprensiblemente vacilarán antes de pagar por un agua sobre la que no tienen ningún control.

Que las condiciones en que se encuentren los agricultores de un proyecto determinado sean lo suficientemente mejores como resultado de los rendimientos agrícolas mayores es sumamente problemático. El beneficio real del campesino depende del precio recibido por la producción agrícola; del precio y la disponibilidad de los insumos necesarios, incluyendo crédito, nuevas variedades de semillas y fertilizantes; y de las cuotas cobradas por el agua. Un análisis económico de 1980 sobre el beneficio potencial de los campesinos del Area de Desarrollo Integrado de BICOL, por ejemplo, concluyó que algunos campesinos podrían estar en una situación bastante peor si se les impusiera un aumento en la cuota.

En particular, aquellos campesinos que anteriormente habían irrigado sus tierras utilizando sistemas a pequeña escala que funcionan por gravedad estarán en peores condiciones bajo el nuevo método de cuotas, a menos que los precios de sus productos aumenten radicalmente, o que los rendimientos de sus fincas excedan, los ya alcanzados por los campesinos más productivos en esa región.[3]

Las cinco condiciones listadas a continuación deben ocurrir para que los campesinos se encuentren en condiciones suficientemente mejores que el pago de las cuotas que cubren los costos ordinarios de muchos proyectos sea objetivamente factible:

1. Los campesinos deben tener confianza en que el agua estará disponible siempre que la necesiten antes de que (a) inviertan en insumos costosos relacionados con una sola siembra y/o (b) hagan tales inversiones en relación con una siembra doble o triple.[4]

2. Los campesinos deben ser capaces de obtener crédito a un tipo de interés razonable para poder comprar insumos más costosos.

3. Cuando necesiten nuevos insumos, los campesinos deben ser capaces de obtenerlos a precios de mercado.

4. El ingreso de la finca debe ser superior a los crecientes costos de los insumos nuevos.

5. El creciente rendimiento neto debe ser superior a los costos de operación y mantenimiento cargados a los campesinos.

A menos que se cumplan las primeras cuatro condiciones, los campesinos que reciben servicio de obras de riego no invertirán en los insumos necesarios para generar un aumento en su rendimiento agrícola. A menos que se cumpla la quinta condición, los campesinos se resistirán fuertemente a pagar cuotas en efectivo o a ofrecer voluntariamente su mano de obra para actividades de mantenimiento.

La resistencia de los campesinos a pagar las cuotas que cubren los costos ordinarios tiene muchas consecuencias a largo plazo para la sostenibilidad de los proyectos de riego de gran alcance. A menos que los campesinos paguen gastos de contratación de personal de operación y mantenimiento, o que ejecuten por sí mismos tales actividades, muchas instituciones de riego estarán sólo en condiciones de hacer funcionar los sistemas de un modo mínimo. No podrán invertirse cantidades grandes en actividades de mantenimiento rutinario o de emergencia. La falta inicial de mantenimiento conduce a un círculo vicioso que ha sido característico de muchos sistemas grandes construidos en años recientes. Sin un mantenimiento adecuado, la confianza del agricultor en el sistema se empieza a deteriorar. En la medida en que se reduzcan esta confianza, los campesinos estarán cada vez menos dispuestos a invertir en semillas y fertilizantes costosos que son de poca utilidad sin un suministro de agua fiable. Sin estas inversiones en insumos, el rendimiento neto de la agricultura de riego se disminuye. A medida que decrezca el beneficio, los campesinos estarán menos dispuestos aún a contribuir con el mantenimiento del sistema.

La experiencia filipina con un proceso dinámico de reforma institucional

Romper este círculo vicioso es extremadamente difícil. El proceso iniciado por la Administración Nacional del Riego (ANR) en las Filipinas ejemplifica un esfuerzo que ha resultado exitoso, orientado al desarrollo de diferentes reglas para el financiamiento de los costos ordinarios y de capital. La experiencia filipina es digna de considerar por muchas razones. Primero, los participantes eran conscientes de la necesidad de adoptar un enfoque a base de aprendizaje en lugar de un enfoque a base de un plan estándar previamente elaborado (ver D. Korten, 1980). Segundo, muchas de las reglas que afectaban las finanzas, el diseño, la construcción, el mantenimiento y el uso fueron modificadas (aquí sólo tocaremos los cambios relativos a las finanzas). Tercero, estos cambios en las reglas condujeron a mejoras bien documentadas en el desarrollo del sistema. Cuarto, se dedicó esfuerzo considerable para aumentar otros aspectos del capital social, incluyendo las habilidades y comprensión de los regadores y los funcionarios públicos. Quinto, la oposición a estas reformas desde dentro de la ANR como resultado de la posible pérdida de empleos y poder detuvo el ímpetu de los cambios en varias coyunturas.

Al principio de la década de 1960, el gobierno de las Filipinas se propuso un importante programa de riego orientado a lograr la autosuficiencia en la producción de arroz. Creó la ANR como una empresa semiautónoma con amplios poderes para hacerse responsable del desarrollo del riego. Inicialmente, la ANR recibía un amplio subsidio del gobierno nacional de las Filipinas para cubrir tanto los costos de construcción como los de operación y mantenimiento. Se entendía, sin embargo, que a la larga la ANR sería auto-financiable. El primer paso debía ser que la ANR cubriera sus propios costos ordinarios. Pero, como explica Benjamin U. Bagadion (un participante clave en la evolución del nuevo conjunto de instituciones de riego), la ANR estaba muy lejos de poder hacerlo, mucho menos de cubrir los costos de construcción. Durante el año fiscal 1964–1965, "el cobro de las cuotas por riego ascendió a sólo 1.27 millones de pesos (US$0.33 millones en moneda estadounidense de 1964) mientras que sus gastos de operación y mantenimiento fueron de 3.42 millones de pesos (US$0.88 millones en moneda estadounidense de 1964)" (Bagadion, 1988: 7; las conversiones de moneda fueron añadidas). En 1967, la ANR procuró resolver el déficit presupuestario en los sistemas nacionales, aumentando sustancialmente las cuotas por riego. Los resultados fueron contraproducentes.

Aunque aumentó la recaudación, los gastos también se elevaron en la medida en que se hicieron esfuerzos por mejorar la operación y el mantenimiento, a fin de justificar las elevadas cuotas. En consecuencia, el déficit neto de la ANR se mantuvo. Más aún, el porcentaje de cuotas cobrables efectivamente pagadas disminuyó de un 59 por ciento antes del aumento a un 27 por ciento después. Sin ninguna solución a la vista, el gobierno continuó facilitando subsidios, y los problemas de la ANR en el área de operación y mantenimiento no recibieron atención significativa durante otra media década.

Un fracaso similar tuvo lugar en un primer esfuerzo por crear asociaciones de regadores que administraran los sistemas más pequeños que la ANR quería devolver al control de los campesinos. Se crearon asociaciones de "papel", pero no se consiguió más que cumplir con los requisitos legales. Los campesinos no fueron consultados sobre los cambios planificados en sus sistemas y no veían razón alguna por asumir la responsabilidad en lo subsiguiente. Por otro lado, "los campesinos sabían que podían cabildear con sus representantes en el Congreso algunas partidas adicionales con base en el sistema político de favoritismo regional y por lo tanto con frecuencia dejaban que su sistema deteriorase a la espera de que el gobierno hiciera el trabajo" (Bagadion, 1988: 7).

En 1974, la carta constitutiva de la ANR fue reformada sustancialmente para permitirle funcionar como la empresa pública que se suponía que era. Antes de esa fecha, las cuotas cobradas por la ANR eran reintegradas al tesoro nacional. El presupuesto ordinario de la organización estaba incluido como parte de los procedimientos generales de asignación de fondos. La reforma de la carta constitutiva permitió a la ANR retener las cuotas por riego cobradas mientras se le facilitaba un subsidio que cubría específicamente los costos de operación y mantenimiento y los de las nuevas construcciones, tanto para el sistema nacional como para el comunal.

> Los nuevos arreglos crearon un incentivo potencial para que el personal de la ANR se concentrara en los cobros—cuanto más dinero cobraran, tanto más tendría la ANR disponible para la operación y mantenimiento de los sistemas. Paradójicamente, la misma reforma que otorgaba el subsidio permitía a la ANR prepararse para una futura retirada del mismo. El acuerdo celebrado con las autoridades del presupuesto era que la subvención para los gastos de operación y mantenimiento sería eliminada gradualmente sobre un período de cinco años. La ANR entonces dependería directamente del cobro de cuotas a los campesinos para cubrir todos sus gastos. (Bagadion, 1988: 8).

Para los sistemas de riego nacionales, la política anterior, nunca puesta en vigor, referente a la reintegración de los costos de construcción en un plazo de veinticinco años fue cambiada por una política de recuperación en un período de cincuenta años, sin intereses. Para los sistemas de riego comunales, "las políticas nuevas neutralizaban los efectos negativos del sistema de favoritismo regional que se utilizó en la construcción de instalaciones de riego comunales sin cobrar a los campesinos la recuperación de los costos, un sistema que había fomentado la dependencia de las asociaciones del gobierno" (Bagadion, 1988: 9). David Korten (1988: 137) señala que este cambio significó que los campesinos dejaron de "ser destinatarios de la beneficencia pública que aceptaban lo que su benefactor decidiera ofrecerles, para convertirse en clientes que compraban un servicio con la opción de retener el acuerdo y/o el pago".

Aunque las bases para otorgar situación legal a las asociaciones de riego ya estaban establecidas, la tarea de efectivamente organizar estas agrupaciones, después de tantos años de fuerte control centralizado sobre el riego, no era fácil. Requirió las energías creativas de muchos inspirados funcionarios públicos, organizadores de obras de riego recientemente contratados, y aplicados académicos, así como también un sólido apoyo de la Fundación Ford, para organizar asociaciones de usuarios fuertes que pudieran relacionarse de una manera eficiente con un proveedor todopoderoso como la ANR.[5] El simple cambio de las reglas financieras de la ANR—el lado de la oferta—sin reforzar la autoridad y las habilidades de los usuarios no fue suficiente, ni tampoco habrían dado resultado los esfuerzos por mejorar el lado del uso sin cambios en el de la oferta. Las modificaciones en ambos lados generalmente son vitales para el éxito de cualquier reforma institucional.

Se adoptó un cambio clave relacionado con el presupuesto y los procedimientos de asignación de fondos. Bajo el sistema viejo, el año presupuestario empezaba el primero de enero pero, como en muchos otros países, frecuentemente los fondos no eran desembolsados sino hasta tres meses después de haberse iniciado ese año presupuestario. No se podía empezar ninguna construcción durante los tres primeros meses, aunque éstos son los meses secos que reúnen las condiciones ideales para la construcción (D. Korten, 1988: 129). En 1979, una nueva regla presupuestaria empeoró las cosas aún más al requerir que los fondos no utilizados fueran reintegrados al tesoro nacional. La construcción de los proyectos de riego frecuentemente se frenaba de golpe a finales de diciembre, se mantenía inmóvil durante los meses secos, se deterioraba con las lluvias del tifón, y tenía que reconstruirse antes de que los proyectos pudieran ser completados el año siguiente. Los costos de construcción eran superiores a lo necesario, y los compromisos con los campesinos no se podían cumplir con seguridad. Este problema se resolvió finalmente con una serie de pasos orientados a cambiar la forma en que los fondos eran asignados y utilizados.[6]

Al principio de la década de 1980, la subvención de la ANR para costos ordinarios fue reducido lentamente. Cada oficina provincial debió determinar el número de nuevas construcciones comunales que se necesitarían para obtener los beneficios suficientes para cubrir el presupuesto de operaciones. "Las provincias típicas requerían un área de 3.000 a 4.000 hectáreas, con regadores *satisfechos* que hicieran pagos regulares de amortización" (D. Korten, 1988: 137; énfasis añadido). Aunque todos los ingresos eran depositados en una cuenta general, se mantenían registros de los costos e ingresos por provincia, permitiendo de esta manera a los funcionarios mantenerse al tanto de los flujos netos.[7] Estos cambios en las reglas financieras hicieron que el personal de la ANR se concentrara en la solvencia fiscal como punto de partida. Pero al mismo tiempo, informó Korten, aprendieron "que la forma de lograr la viabilidad financiera era mantenerse en estrecho contacto con el cliente y darle un servicio satisfactorio".[8]

De la experiencia filipina pueden derivarse varias lecciones. Primero, simplemente aumentar las cuotas por riego sin encontrar mejores métodos de relacionar el suministro con el uso no da buen resultado. De hecho, esto fue contraproducente. Segundo, fue necesario efectuar muchos cambios a las reglas, algunos de los cuales eran relativamente pequeños y de naturaleza sutil, para tener un impacto significativo sobre los incentivos reales a los que se enfrentaba el personal de la organización. Tercero, muchos de los cambios de regla afectaron los incentivos de suministro relacionados con el diseño, construcción, operación y mantenimiento del sistema. Cuarto, las mejoras en el desempeño se produjeron lentamente. Quinto, el personal de la organización se resistió a los cambios internos. Sexto, además del trabajo de consagrados servidores públicos, la ayuda externa en forma de capital intelectual y apoyo financiero jugó un papel importante en el proceso de diseño. Séptimo, el proceso de cambio se concentró más en los sistemas comunales y los sistemas nacionales pequeños, que en el sistema nacional grande.[9] Y octavo, el proceso de diseño de instituciones eficaces nunca termina.

Esta breve apreciación de la experiencia filipina nos ayuda a comprender por qué los campesinos, los políticos y el personal de riego se oponen a los cambios sustanciales en las prácticas presupuestarias que predominan en muchos países. Es seguro que los campesinos se opondrán vigorosamente a la propuesta de aumentar las cuotas, debido a que un aumento de cuotas raras veces produce promesas fiables de mejorar el desempeño del sistema. Los políticos pierden una fuente de poder cuando el riego deja de formar parte de las políticas de favoritismo regional de la nación; por lo tanto, los políticos probablemente no inicien cambios importantes en la estructura de cuotas, a menos que se vean obligados a hacerlo por limitaciones presupuestarias de consideración. Aún más difícil es que los ingenieros de riego dediquen tiempo y energía a reunirse con campesinos y se preocupen por la solvencia financiera de su organización si tienen un ingreso garantizado independientemente de su actuación. Finalmente, si los cambios financieros dan como resultado la transferencia de la función de operación y mantenimiento del sistema a los regadores, el personal de operación y mantenimiento perderá su empleo. Bagadion (1988: 18) señala que el desalojo del personal de la ANR a nivel del campo fue un problema grande en las Filipinas que "frenó la expansión del programa participatorio en los sistemas nacionales". Por lo tanto, las propuestas de cambios sustanciales en la estructura de cuotas probablemente vengan sólo como resultado de limitaciones presupuestarias extremas fortalecidas por la insistencia de las organizaciones donantes externas.

Recomendaciones para mejorar el desempeño de las instituciones de riego

Los ciudadanos, los funcionarios del gobierno, las organizaciones donantes externas y todos los que buscan mejorar las instituciones de riego pueden obtener información valiosa de esta experiencia en las Filipinas: Cualquier intento por conseguir mejoras significativas en los complejos arreglos institucionales que actualmente generan beneficios cuantiosos para individuos poderosos y bien organizados llevará largo tiempo y considerable trabajo. Boss Plunkitt, de Tammany Hall, fue famoso por su observación que "los reformadores sólo son dondiegos" (flores de poca duración) (Riordon, 1963). Los que procuran reformar sistemas que generan beneficios sustanciales para intereses poderosos y bien organizados deben reconocer que esos beneficios se utilizan para evitar la reforma. Requiere considerable voluntad, trabajo y perseverancia para evitar florecer temprano durante el proceso, pero marchitarse cuando la oposición se pone difícil. Los simples pronunciamientos de los organismos donantes o de los gobiernos centrales no producirán reformas de importancia.

Las reformas que implican cuotas de usuarios, como las propuestas frecuentemente en la documentación sobre la materia, siempre generarán oposición extrema. Al mismo tiempo, varios tipos de reforma institucional basados en los principios de diseño que presentamos en este estudio son no solamente esenciales sino también menos propensos a ser objeto de fuerte oposición. La primera estrategia se refiere al establecimiento de autoridad para grupos de usuarios de varios tipos para que creen sus propias entidades corporativas. Esta autoridad ya existía en las Filipinas y fue una de las piedras angulares utilizadas en ese programa experimental. Es similar a la de un grupo de individuos que establecen una sociedad anónima para alcanzar objetivos legales. Las sociedades anónimas pueden crear sus propias cartas constitutivas en algunos países, mientras reúnan ciertas especificaciones generales. Si los que desean organizarse para conseguir un propósito público pueden confiar en una autorización general para crear sus estatutos, entonces el séptimo principio de diseño puede conseguirse a un costo menor. Para convertirse en un grupo reconocido de usuarios, podría ocurrir que el grupo necesite abrir sus libros a todos sus miembros, permitir cierta forma de auditoría externa y reconocer el derecho de todos los ciudadanos a obtener información sobre el desempeño del sistema. En los programas de capacitación, podrían utilizarse ejemplos de cartas de constitución eficaces de grupos de usuarios para ilustrar los tipos de reglas utilizadas en los sistemas más exitosos.

La segunda estrategia para la reforma institucional se refiere a las inversiones en tribunales y otras formas de mecanismos de resolución de conflictos. Sin un sistema de tribunales justo, de bajo costo, y para propósitos generales, será sumamente difícil diseñar instituciones que resuelvan problemas complicados. Mientras los que están directamente implicados podrían asumir responsabilidades sustanciales en las actividades de control y castigo, es probable que algunos conflictos se intensifiquen y se requiera la intervención de funcionarios externos, imparciales y justos para su resolución.

Existen oportunidades considerables para la reforma en los esfuerzos por mejorar el desempeño de los sistemas de riego pequeños propiedad de los campesinos. Muchos de éstos ya cuentan con organizaciones campesinas eficaces. Muchos necesitan un mejor capital físico y mayores conocimientos sobre el modo de mejorar los rendimientos agrícolas. La obra *Institutional Incentives and Rural Infrastructure Sustainability* (E. Ostrom, Schroeder y Wynne, 1990) hace algunas recomendaciones específicas con relación a las estrategias que podrían adoptarse para proyectos de riego pequeños. Estos consejos merecen subrayarse aquí.

Un punto de probable intervención en los proyectos a pequeña escala es cuando se solicita asistencia externa. Los organismos donantes y los gobiernos nacionales interesados en incrementar las inversiones en proyectos autosostenibles a pequeña escala deberían ayudar a estos grupos *solamente* cuando exista una sólida evidencia de que los que supuestamente van a beneficiarse de una instalación

1. son conscientes de los beneficios potenciales que recibirán,

2. reconocen que estos beneficios no se materializarán completamente, a menos que las instalaciones reciban mantenimiento,

3. se han comprometido firmemente en mantener las instalaciones a través del tiempo,

4. tienen la capacidad organizativa y financiera para mantener ese compromiso, y

5. no esperan recibir recursos para la rehabilitación de las instalaciones si no les da mantenimiento.

Esto puede lograrse invirtiendo en proyectos de infraestructura que reúnan las siguientes condiciones:

1. Los beneficiarios directos están dispuestos a invertir primero algunos de sus propios recursos.

2. Los beneficiarios directos están dispuestos a reintegrar una parte sustancial de los costos de capital (a bajo interés y sobre un período de tiempo largo, si es necesario) y a hacerse cargo del mantenimiento.

3. Los beneficiarios directos tienen la seguridad de que pueden

   • participar en el diseño del proyecto

   • supervisar la calidad del trabajo que se realice

   • examinar las cuentas que forman la base de sus responsabilidades financieras

   • proteger los derechos de agua establecidos

   • lograr que los contratistas se responsabilicen de los trabajos de calidad inaceptable que se descubran una vez que el sistema sea puesto en funcionamiento.

4. La entidad patrocinadora tiene la seguridad de que

   • el compromiso de los campesinos de reembolsar los costos se hará cumplir mediante acciones legales apropiadas, de ser necesario

   • los campesinos cuentan con una organización eficaz con capacidad demostrada para movilizar recursos, asignar beneficios y obligaciones, y resolver conflictos locales.

5. Todos los organismos donantes y el gobierno anfitrión están firmemente comprometidos con los principios antes indicados, y no suministrarán fondos para sacar de apuros a aquellos beneficiarios que no cumplan con sus responsabilidades.[10]

Los individuos que están dispuestos a realizar inversiones iniciales para obtener bienes de capital demuestran su propio reconocimiento del potencial de los beneficios futuros. Más aún, mientras mayor sea la proporción de las inversiones de capital que esos beneficiarios están dispuestos a reintegrar, probablemente mayores sean sus esfuerzos por hacer inversiones económicamente factibles a fin de aumentar la productividad en lugar de cazar rentas. Si la infraestructura realmente va a aumentar el bienestar de los supuestos beneficiarios, éstos tendrán recursos mayores para dedicar al reintegro. Además, si saben que tienen que pagar los costos de capital, probablemente insistan (si tienen autonomía institucional para hacerlo) en que el proyecto tenga una alta probabilidad de producir beneficios netos. Bajo estas condiciones, los fondos de las organizaciones donantes o del gobierno central apoyan a proyectos que se considera son de valor real para los participantes.

Esto significa que los beneficiarios directos o sus representantes deben estar involucrados en el diseño y en la planificación financiera de una infraestructura que produzca beneficios geográficamente limitados y deben tener derecho a rechazar un proyecto que piensen que no es interesante. Si no pueden decir "no", entonces no pueden hacer un compromiso que se considere legalmente valedero, ya que siempre podrán afirmar que fueron obligados a dar su acuerdo. Además, para hacer los compromisos legalmente valederos, los beneficiarios deberán estar

   • organizados en una forma legalmente reconocida antes de la creación de acuerdos financieros y de construcción. Los beneficiarios podrán, entonces, participar en el diseño y financiamiento del proyecto, así como en la aprobación de un contrato que les permita asumir en el futuro la propiedad de la instalación y la responsabilidad de su mantenimiento.

• seguros de que los funcionarios gubernamentales también están haciendo contratos legalmente valederos—de que los beneficiarios pueden tener responsables a los funcionarios públicos, a la vez que se responsabilizan ellos mismos.

• seguros de que los conflictos futuros sobre el cumplimiento de los contratos se resolverán de una manera justa y de que existen foros imparciales para la resolución de los conflictos, si fuere necesario. (E. Ostrom, Schroeder, y Wynne, 1990: 152–53)

Los esfuerzos por diseñar instituciones nuevas que mejoren el desempeño de proyectos de riego a gran escala de construcción reciente y de propiedad del gobierno serán más difíciles de llevar a cabo que los esfuerzos por mejorar los proyectos a pequeña escala (ver Tang, 1992). Los campesinos tienen que aprender a confiar en los demás agricultores y en los funcionarios de riego. Normalmente se requieren cambios sustanciales en la administración general del sistema. Es poco probable que los funcionarios de riego se muestren sensibles a las solicitudes de los campesinos en cuanto a cumplir con los programas, cuando éstos se niegan a pagar las cuotas por riego. Es imposible resolver simultáneamente todos los problemas que se dan en los sistemas grandes en un período corto de tiempo. En consecuencia, los funcionarios deben contratar trabajadores de campo bien preparados que puedan trabajar directamente con los campesinos y los ingenieros del sistema.[11]

Los esfuerzos de reforma requerirán perspectivas que abarquen décadas enteras en vez del horizonte de tiempo más típico, que consiste en un año presupuestario o la cosecha actual. La reforma institucional es una inversión en capital social a largo plazo.

Notas

1. Ver Niasse (1990) para un análisis de los incentivos adversos implicados en el diseño inicial de los "perímetros comunitarios irrigados",

o PCI, en el Valle de Senegal durante la década de 1970. Mientras existió ayuda del gobierno para los insumos esenciales y las condiciones de sequía continuaron predisponiendo a los campesinos hacia el riego, los PCI se multiplicaron sustancialmente. Desde que el gobierno de Senegal aceptó los programas de ajuste estructural de las organizaciones donantes, los campesinos están soportando una proporción mayor de los costos reales. Dados los cuantiosos costos de capital implicados, más y más tierra queda ahora baldía y la productividad agrícola está cayendo precipitadamente en la región.

2. Por lo tanto, un problema esencial al que se enfrentan los elaboradores de políticas en muchos países es cómo hacer el mejor uso económico de proyectos que fueron mal diseñados en el pasado. Si resulta imposible recuperar los costos a partir de los beneficios obtenidos por los campesinos en los proyectos agrícolas, no existe justificación económica alguna para mantener funcionando el proyecto. Muchos de los proyectos que actualmente no recuperan la totalidad de los costos podrían ser administrados de manera que sí lo hicieran en el futuro (además de generar cierta contribución a la recuperación de las inversiones de capital).

3. El ingreso promedio de un campesino con la capacidad de irrigar sus tierras a través de los sistemas a pequeña escala anteriormente existentes era de entre 3.819 y 3.943 pesos (US$519.38 y US$536.25 en moneda estadounidense de 1979) por año para una granja promedio de 1.65 hectáreas. Con una cuota por riego de 18 *cavans* de arroz palay (propuesta para entonces), el ingreso promedio para una granja de este tipo descendería a 2.747 ó 2.871 pesos (US$373.6 ó US$457.77 en moneda estadounidense de 1979) por año. En cambio, si el campesino fuera capaz de aumentar sus rendimientos por encima de lo que ya había sido alcanzado en el área, o si recibiera un precio más alto por el arroz, los rendimientos económicos podrían ser más altos aun con la cuota por riego propuesta. (Ver Sommer et al., 1992: Apéndice D).

4. La confiabilidad del suministro de agua se puede lograr mediante una combinación de medios físicos e institucionales, pero es difícil. A menos que en el sistema haya suficiente capacidad de almacenamiento disponible, la demanda de agua sea limitada, y los diseños del sistema hayan incorporado disposiciones para garantizar la efectiva regulación física del mismo, las posibilidades de niveles extremadamente altos de conflictos entre campesinos, así como entre campesinos y funcionarios de las organizaciones, estarán siempre presentes. Si un conjunto de reglas institucionales para la asignación de agua es entendido, aceptado como legítimo, implantado y aplicado rigurosamente, pueden reducirse los conflictos sobre la asignación de agua y será posible alcanzar la confiabilidad. Esta necesidad de reglas fiables de asignación ha sido ignorada en el diseño de muchos grandes sistemas de riego en los tiempos recientes.

5. Además, las personas involucradas han escrito extensamente sobre sus experiencias, proporcionando de esta manera un medio para que otros obtengan un conocimiento general a partir de la vivencia particular. David Korten ya había desarrollado un fuerte argumento teórico en apoyo del método de aprender haciendo y de mantener una buena documentación del proceso de los diferentes experimentos, de manera que éstos sirvieran de fundamento para una comprensión cumulativa (D. Korten, 1980). El libro recién editado por Frances Korten y Robert Siy (1988) sintetiza las reflexiones de los participantes clave de este proceso de aprendizaje.

6. Primero, obtuvieron "un cambio en el proceso de asignación de fondos de manera que las asignaciones para proyectos comunales se hicieran sobre la base de una cantidad global, en lugar de sobre la base de proyectos individuales" (D. Korten, 1988: 130). Esto les dio más flexibilidad para mover los fondos de un proyecto a otro y una mayor capacidad para cumplir con los compromisos contraídos con los grupos de usuarios. Entonces, escribe Korten, la ANR empezó a recurrir a su fondo corporativo: "Para 1980, este fondo se hizo sustancial y la ANR empezó a utilizarlo para financiar trabajos de construcción comunales durante los primeros tres meses del año, en espera de la entrega de la nueva asignación anual." Los pagos se hacían una vez que se entregaban las asignaciones. "El problema de devolver los fondos no utilizados al tesoro nacional al final de cada año se resolvió finalmente asignando los fondos de riego comunales al Ministerio de Obras Públicas en vez de directamente a la ANR". Cuando el Ministerio liberaba fondos a la ANR, oficialmente constituían "egresos" y no había que devolverlos, concluye Korten.

7. Las provincias que tenían un exceso de ingresos sobre sus gastos recibieron un incentivo de un 10 por ciento de su superávit con considerable discreción sobre cómo gastar esos fondos, incluyendo bonificaciones limitadas para el personal. El desempeño financiero a nivel provincial se incorporó a las evaluaciones del desempeño del personal. El personal de riego aprendió que era "difícil cobrarles a campesinos en proyectos que no habían logrado incrementar la producción, donde las instalaciones construidas eran inoperables o donde se habían desarrollado relaciones antagónicas con los campesinos" (D. Korten, 1988: 13–38).

8. El estado de Maharashtra, en la India, ha sido capaz de alcanzar un historial relativamente bueno en el cobro de las cuotas por riego a los campesinos. Un estudio reciente resumido en Easter (1985: 22) encontró que la recaudación era del 66, 62 y 89 por ciento de los costos de operación y mantenimiento en los sistemas de riego menores, medianos y mayores, respectivamente. Easter enumera cuatro factores importantes en el cobro exitoso de las cuotas de agua:

- sanciones oficiales aplicables a los campesinos que no pagan las cuotas, cuando solicitan cada año el agua de riego

- multas por falta de pago de las cuotas de agua para una fecha fija

- buen servicio de riego

- buena comunicación entre los funcionarios de riego y los campesinos.

9. Según observa Bagadion (1988: 18):

Aunque todas las oficinas provinciales y regionales de la ANR, incluyendo todos sus trabajos comunales y algunos de sus trabajos de tamaño mediano y pequeño a nivel nacional, han sido afectados, aún se requieren mejoras en estos programas y cambios en los proyectos y sistemas nacionales grandes. Los procesos utilizados en los sistemas medianos y pequeños deben aplicarse de una forma más amplia, y debe hacerse una reflexión creativa en relación con la aplicación de tales procesos a sistemas más grandes.

10. Este es un compromiso especialmente difícil para los organismos donantes y los gobiernos anfitriones, tomando en cuenta la obligación que tienen los funcionarios de las entidades donantes de mover dinero y las tentaciones que tienen los funcionarios de los gobiernos de cazar rentas. Quizás sea necesario que los organismos donantes más importantes trabajen juntos con los gobiernos anfitriones en una estrategia de patrocinio conjunto. Tanto los primeros como los segundos podrían optar por suministrar fondos en casos de grandes desastres a fin de ayudar a reconstruir estructuras destruidas por terremotos, inundaciones y avalanchas. Esta es una forma de "seguro" que no destruye los incentivos para llevar a cabo trabajos de mantenimiento rutinarios, a menos que se interprete de una manera demasiado amplia la definición de desastre provocado por causas externas.

11. Uphoff (1986) proporciona un excelente resumen de los problemas relacionados con el cambio exitoso de patrones de interacción en sistemas de riego a gran escala. Los esfuerzos de un equipo del Instituto de Investigación y Entrenamiento Agrario (ARTI) de la Universidad Cornell en el proyecto de Gal Oya en Sri Lanka son ilustrativos del tipo de intervención que probablemente se necesite. Trabajadores de campo que eran universitarios graduados y que provenían de familias campesinas fueron empleados como "catalizadores" organizativos para ayudar a los campesinos a comenzar a resolver algunos de sus más inmediatos y pequeños problemas sin necesidad de organizarse formalmente. Al aumentar la confianza en su capacidad para resolver los problemas conjuntos, estos trabajadores de campo ayudaron a los campesinos a confiar unos en otros. Al comunicar

las necesidades de los agricultores a los funcionarios de riego y ayudarles a cambiar la forma en que el sistema funcionaba, se aumentó esa confianza. Tales enfoques requieren una inversión sustancial en personal dispuesto a asumir este difícil y confuso trabajo. No obstante, los beneficios potenciales que pueden obtenerse son grandes.

Referencias

Advisory Commission on Intergovernmental Relations. 1987. *The Organization of Local Public Economies.* Washington, D.C.: Advisory Commission on Intergovernmental Relations.

Alchian, Armen A., y Harold Demsetz. 1972. "Production, Information and Economic Organization." *American Economic Review* 62 (5): 777–95.

Ali, Syed Hashim. 1985. "Planning and Implementation of Measures to Ensure Productivity and Equity under Irrigation Systems." En *Productivity and Equity in Irrigation Systems,* ed. Niranjan Pant. Dehra Dun: Natraj.

Arthur, W. Brian. 1988. "Self-Reinforcing Mechanisms in Economics." En *The Economy as an Evolving Complex System,* ed. Philip W. Anderson, Kenneth J. Arrow, y David Pines, 9–31. Reading, Mass.: Addison-Wesley.

Ascher, William, y Robert Healy. 1990. *Natural Resource Policymaking in Developing Countries.* Durham, N.C.: Duke University Press.

Asian Development Bank. 1973. Debates del Taller Regional sobre Manejo del Agua de Riego. Manila: Asian Development Bank.

Aumann, R. J. 1976. "Agreeing to Disagree." *The Annals of Statistics* 4(1): 236–39.

Axelrod, R. 1981. "The Emergence of Cooperation among Egoists." *American Political Science Review* 75: 306–18.

———. 1984. *The Evolution of Cooperation.* Nueva York: Basic Books.

Bagadion, Benjamin U. 1988. "The Evolution of the Policy Context: An Historical Overview." En *Transforming a Bureaucracy: The Experience of the Philippine National Irrigation Administration,* ed. Frances F. Korten y Robert Y. Siy, Jr., 1–19. West Hartford, Conn.: Kumarian Press.

Barker, Randolph, E. Walter Coward, Jr., Gilbert Levine, y Leslie E. Small. 1984. *Irrigation Development in Asia: Past Trends and Future Directions.* Ithaca, N.Y.: Cornell University Press.

Barnett, Tony. 1977. *The Gezira Scheme: An Illusion of Development.* Londres: Frank Cass.

Bates, Robert. 1987. *Essays on the Political Economy of Rural Africa.* Berkeley: University of California Press.

Benedict, Peter, Ahmed H. Ahmed, Rollo Ehrich, Stephen F. Lintner, Jack Morgan, y Mohamed A. M. Salih. 1982. *Sudan: The Rahad Irrigation Project. Informe de Evaluación de Impacto de Proyecto* No. 31. Washington, D.C.: Agencia de los Estados Unidos para el Desarrollo Internacional.

Binswanger, Hans, y Prabhu Pingali. 1988. "Technological Priorities for Farming in Sub-Saharan Africa." *World Bank Research Observer* 3 (1).

Blomquist, William. (de próxima publicación). *They Prefer Chaos.* San Francisco: Institute for Contemporary Studies Press.

Bottrall, Anthony. 1981. *Comparative Study of the Management and Organization of Irrigation Projects.* Documento de Trabajo para el Personal No. 458. Washington, D.C.: Banco Mundial.

Boudreaux, D. J., y R. G. Holcombe. 1989. "Government by Contract." *Public Finance Quarterly* 17: 264–80.

Breton, Albert, y Ronald Wintrobe. 1981. *The Logic of Bureaucratic Conduct.* Cambridge: Cambridge University Press.

Bromley, Daniel W. 1982. "Improving Irrigated Agriculture: Institutional Reform and the Small Farmer." Documento de Trabajo para el Personal No. 531. Washington, D.C.: Banco Mundial.

Brown, L. David, y David C. Korten. 1989. *Understanding Voluntary Organizations.* Serie de Documentos de Trabajo PPR No. 258. Washington, D.C.: Banco Mundial.

Buchanan, James M., Robert D. Tollison, y Gordon Tullock, eds. 1980. *Toward a Theory of the Rent-Seeking Society.* College Station: Texas A&M University Press.

Byrne, J. A. 1986. "The Decline in Paddy Cultivation in a Dry Zone Village of Sri Lanka." En *Rice Societies: Asian Problems and Prospects,* ed. Irene Norlund, Sven Cederroth, Ingela Gerdin, 81–116. Londres: Curzon Press.

Carruthers, Ian. 1981. "Neglect of O&M in Irrigation, the Need for New Sources and Forms of Support." *Water Supply and Management* 5: 53–65.

———. 1988. "Irrigation under Threat: A Warning Brief for Irrigation Enthusiasts." *IIMI Review* 2: 8–11, 24–25.

Cernea, Michael M., ed. 1985. *Putting People First: Sociological Variables in Rural Development.* Nueva York: Oxford University Press.

————. 1987. "Farmer Organization and Institution Building for Sustainable Development." *Regional Development Dialogue* 8(2): 1–24. Nagoya, Japón: Centro de las Naciones Unidas para el Desarrollo Regional.

Chambers, Robert. 1980. "Basic Concepts in the Organization of Irrigation." En *Irrigation and Agricultural Development in Asia: Perspectives from the Social Sciences,* ed. E. Walter Coward, Jr., 28–50. Ithaca, N.Y.: Cornell University Press.

————. 1988. *Managing Canal Irrigation: Practical Analysis from South Asia.* Cambridge: Cambridge University Press.

Ciriacy-Wantrup, S. V., y R. C. Bishop. 1975. " 'Common Property' as a Concept in Natural Resource Policy." *Natural Resources Journal* 15: 713–27.

Coleman, James. 1986. "Social Theory, Social Research, and a Theory of Action." *American Journal of Sociology* 91(1): 309–35.

————. 1988. "Social Capital in the Creation of Human Capital." *American Journal of Sociology* 94 (suplemento): S95–S120.

Colmey, John. 1988. "Irrigated Non-Rice Crops: Asia's Untapped Resource." *IIMI Review* 2(1): 3–7.

Commons, John R. 1957. *Legal Foundations of Capitalism.* Madison: University of Wisconsin Press.

Corey, A. T. 1986. Control of Water within Farm Turnouts in Sri Lanka. En *Proceedings of a Workshop on Water Management in Sri Lanka.* Serie de Documentación No. 10. Colombo: Agrarian Research and Training Institute.

Coward, E. Walter, Jr. 1979. "Principles of Social Organization in an Indigenous Irrigation System." *Human Organization* 38(1): 28–36.

————, ed. 1980. *Irrigation and Agricultural Development in Asia: Perspectives from the Social Sciences.* Ithaca, N.Y.: Cornell University Press.

————. 1985. "Technical and Social Change in Currently Irrigated Regions: Rules, Roles, and Rehabilitation." En *Putting People First: Sociological Variables in Rural Development,* ed. Michael M. Cernea, 27–52. Oxford: Oxford University Press.

Craven, K., J. Merryman, y N. Merryman. 1989. *Jubba Environmental and Socioeconomic Studies.* Burlington, Vt.: Associates in Rural Development.

Crosson, Pierre R., y Norman J. Rosenberg. 1989. "Strategies for Agriculture." *Scientific American* 261: 128–35.

David, Paul A. 1988. "Path Dependence: Putting the Past into the Future of Economics." Documento do trajabo. Stanford: Departamento de Economía de la Universidad de Stanford.

de los Reyes, Romana P., y Sylvia Ma. G. Jopillo. 1988. "The Impact of Participation: An Evaluation of the NIA's Communal Irrigation

Program. En *Transforming a Bureaucracy: The Experience of the Philippine National Irrigation Administration,* ed. Frances F. Korten y Robert Y. Siy, Jr., 90–116. West Hartford, Conn.: Kumarian Press.

de Soto, Hernando. 1989. *The Other Path. The Invisible Revolution in the Third World.* Nueva York: Harper & Row.

Dhawan. B. D. 1988. *Irrigation in India's Agricultural Development: Productivity, Stability, Equity.* Nueva Delhi: Sage.

Dosi, Giovanni. 1988. "Technical Change, Institutional Processes and Economic Dynamics: Some Tentative Propositions and a Research Agenda." Roma: Departamento de Economía de la Universidad de Roma.

Downing, Theodore E. 1974. "Irrigation and Moisture-Sensitive Periods: A Zapotec Case." En *Irrigator's Impact on Society,* ed. Theodore E. Downing y McGuire Gibson, 113–22. Tuscon: University of Arizona Press.

Easter, K. William. 1985. *Recurring Costs of Irrigation in Asia: Operation and Maintenance.* Ithaca, N.Y.: Proyecto de Síntesis del Manejo de Agua de la Universidad Cornell.

Freeman, David M., y Max L. Lowdermilk. 1985. "Middle-level Organizational Linkages in Irrigation Projects." En *Putting People First: Sociological Variables in Rural Development,* ed. Michael M. Cernea, 91–118. Oxford: Oxford University Press.

Geertz, Clifford. 1980. "Organization of the Balinese Subak." En *Irrigation and Agricultural Development in Asia: Perspectives from the Social Sciences,* ed. E. Walter Coward, Jr., 70–90. Ithaca, N.Y.: Cornell University Press.

General Accounting Office. 1983. *Irrigation Assistance to Developing Countries Should Require Stronger Commitments to Operation and Maintenance.* Gaithersburg, Md.: General Accounting Office.

Gillespie, Victor A. 1975. *Farmer Irrigation Associations and Farmer Cooperation.* Estudio No. 3 del East-West Food Institute. Honolulu: Food Institute, East-West Center.

Groenfeldt, David, y Joyce L. Moock, eds. 1989. *Social Science Perspectives on Managing Agricultural Technology.* Colombo, Sri Lanka: International Irrigation Management Institute.

Harriss, John C. 1984. "Social Oranization and Irrigation: Ideology, Planning and Practice in Sri Lanka's Settlement Schemes." En *Understanding Green Revolutions,* ed. T. P. Bayliss-Smith y S. Wanmali, 315–38. Cambridge: Cambridge University Press.

Hayek, F. A. 1945. "The Use of Knowledge in Society." *American Economic Review* 35(4): 519–30.

Hechter, Michael. 1987. *Principles of Group Solidarity.* Berkeley: University of California Press.

Heckathorn, D. D. 1984. "A Formal Theory of Social Exchange: Process and Outcome." *Current Perspectives in Social Theory* 5: 145–80.

Hilton, Rita M. 1990. Cost Recovery and Local Resource Mobilization in Irrigation Systems in Nepal: Case Study of Karjahi Irrigation System. Estudio presentado en la reunión anual de la International Association for the Study of Common Property, Universidad Duke, 28–30 de septiembre.

Hunt, Robert C. 1989. "Appropriate Social Organization? Water User Associations in Bureaucratic Canal Irrigation Systems." *Human Organization* 48(1): 79–90.

———. 1990. "Organizational Control over Water: The Positive Identification of a Social Constraint on Farmer Participation." En *Social, Economic, and Institutional Issues in Third World Irrigation Management* ed. R. K. Sampath y Robert A. Young, 141–54. Studies in Water Policy and Management no. 15. Boulder, Colo.: Westview Press.

International Bank for Reconstruction and Development (Banco Internacional de Reconstrucción y Fomento). 1985. *Tenth Annual Review of Project Management in Sri Lanka's Irrigation Schemes 1984.* Washington, D.C.: Departamento de Evaluación de Operaciones del Banco Mundial.

Jayawardene, Jayantha. 1986. "The Training of Mahaweli Turnout Group Leaders." En *Participatory Management in Sri Lanka's Irrigation Schemes,* 77–85. Digana Village, Sri Lanka: International Irrigation Management Institute.

Kaye, Lincoln. 1989. "The Wasted Waters." *Far Eastern Economic Review* 143(5) (2 de febrero), 16–22.

Kiser, Larry L., y Elinor Ostrom. 1982. "The Three Worlds of Action: A Metatheoretical Synthesis of Institutional Approaches." En *Strategies of Political Inquiry,* ed. E. Ostrom, 179–222. Beverly Hills: Sage.

Korten, David C. 1980. "Community Organization and Rural Development: A Learning Process Approach." *Public Administration Review* 40(5): 480–511.

———. 1988. "From Bureaucratic to Strategic Organization." En *Transforming a Bureaucracy: The Experience of the Philippine National Irrigation Administration,* ed. Frances F. Korten y Robert Y. Siy, Jr., 117–44. West Hartford, Conn.: Kumarian Press.

Korten, Frances F., y Robert Y. Siy, Jr., eds. 1988. *Transforming a Bureaucracy: The Experience of the Philippine National Irrigation Administration.* West Hartford, Conn.: Kumarian Press.

Krueger, Anne O. 1974. "The Political Economy of the Rent-Seeking Society." *American Economic Review* 64: 291–301.

Lachmann, Ludwig M. 1978. *Capital and Its Structure.* Kansas City: Sheed Andrews & McMeel.

Leach, E. R. 1959. "Hydraulic Society in Ceylon." *Past and Present* 15: 2–26.

Levi, Margaret. 1988. *Of Rule and Revenue*. Berkeley: University of California Press.

Levine, Gilbert. 1980. "The Relationship of Design, Operation and Management." En *Irrigation and Agricultural Development in Asia: Perspectives from the Social Sciences,* ed. E. Walter Coward, Jr., 51–62. Ithaca, N.Y.: Cornell University Press.

Lewis, T. R., y J. Cowens. 1983. "Cooperation in the Commons: An Application of Repetitious Rivalry." Vancouver: Departamento de Economía de la Universidad de British Columbia.

Maass, A., y R. L. Anderson. 1986. *. . . and the Desert Shall Rejoice: Conflict, Growth and Justice in Arid Environnents*. Malabar, Fla.: Robert E. Krieger.

Madduma Bandara, C. M. 1977. "Hydrological Consequences of Agrarian Change." En *Green Revolution? Technology and Change in Rice Growing Areas of Tamil Nadu and Sri Lanka,* ed. B. H. Farmer. Nueva York: Macmillan.

Martin, Edward G. 1986. "Resource Mobilization, Water Allocation, and Farmer Organization in Hill Irrigation Systems in Nepal." Disertación doctoral, Universidad Cornell.

Martin, Edward G., y Robert Yoder. 1983. The Chherlung Thulo Kulo: A Case Study of a Farmer-Managed Irrigation System. En *Water Management in Nepal: Proceedings of the Seminar on Water Management Issues, July 31–August 2,* Anexo I, 203–17. Kathmandu, Nepal: Ministerio de Agricultura, Centro de Servicios para Proyectos Agrícolas, y el Consejo de Desarrollo Agrícola.

Mehra, S. 1981. Instability in Indian Agriculture in the Context of the New Technology. Informe de Investigación No. 25. Washington, D.C.: Instituto Internacional de Investigaciones sobre Política Alimentaria.

Moore, Mick. 1989. "The Fruits and Fallacies of Neoliberalism: The Case of Irrigation Policy." *World Politics* 17(1): 733–50.

Moris, Jon, y Derrick J. Thom. 1990. *Irrigation Development in Africa. Lessons of Experience*. Estudios en Política y Manejo de Agua No. 14. Boulder, Colo.: Westview Press.

Nelson, Richard R., y Sidney G. Winter. 1982. *An Evolutionary Theory of Economic Change*. Cambridge, Mass.: Harvard University Press.

Niasse, Madiodio. 1990. "Village Irrigated Perimeters at Doumga Rindiaw, Senegal." *Development Anthropology Network* 8 (Spring): 6–11. Binghamton, N.Y.: Institute for Development Anthropology.

North, Douglass C. 1989. "Institutions and Economic Growth: An Historical Introduction." *World Development* 17(9): 319–32.

Nyoni, Sithembiso. 1987. "Indigenous NGOs: Liberation, Self-reliance, and Development." *World Development,* 15 (Suplemento): 51–56.

Oakerson, Ronald J. 1986. A Model for the Analysis of Common Property Problems. En *Proceedings of the Conference on Common Property Resource Management*, National Research Council, 13–30. Washington, D.C.: National Academy Press.

―――. 1988. "Reciprocity: A Bottom-Up View of Political Development." En *Rethinking Institutional Analysis and Development: Issues, Alternatives, and Choices*, ed. Vincent Ostrom, David Feeny, y Hartmut Picht, 141–58. San Francisco: Institute for Contemporary Studies Press.

Olson, Mancur. 1965. *The Logic of Collective Action: Public Goods and the Theory of Groups*. Cambridge: Harvard University Press.

―――.1969. "The Principle of 'Fiscal Equivalence': The Division of Responsibilities among Different Levels of Government." *American Economic Review* 59(2): 479–87.

O'Mara, Gerald T. 1989. "Issues and Options in Irrigation Finance." En *Innovation in Resource Management: Proceedings of the Ninth Agriculture Sector Symposium*, ed. L. Richard Meyers. Washington, D.C.: Banco Mundial.

Ostrom, Elinor. 1986. "An Agenda for the Study of Institutions." *Public Choice* 48: 3–25.

―――. 1990. *Governing the Commons: The Evolution of Institutions for Collective Action*. Nueva York: Cambridge University Press.

Ostrom, Elinor, Larry Schroeder, y Susan Wynne. 1990. *Institutional Incentives and Rural Infrastructure Sustainability*. Burlington, Vt.: Associates in Rural Development.

Ostrom, Vincent. 1976. "The Contemporary Debate over Centralization and Decentralization." *Publius* 6(4): 21–32.

―――. 1980. "Artisanship and Artifact." *Public Administration Review* 40: 309–17.

―――. 1982. "A Forgotten Tradition: The Constitutional Level of Analysis." En *Missing Elements in Political Inquiry: Logic and Levels of Analysis*, ed. Judith A. Gillespie y Dina A. Zinnes, 237–52. Beverly Hills: Sage.

―――. 1986. "A Fallabilist's Approach to Norms and Criteria of Choice." En *Guidance, Control, and Evaluation in the Public Sector*, ed. Franz-Xaver Kaufmann, Giandomenico Majone, y Vincent Ostrom, 229–49. Berlín y Nueva York: Walter de Gruyter.

―――. 1987. *The Political Theory of a Compound Republic: Designing the American Experiment*. 2a. ed. Lincoln: University of Nebraska Press.

―――. 1988. "Cryptoimperialism, Predatory States, and Self-Governance." En *Rethinking Institutional Analysis and Development: Issues, Alternatives, and Choices*, ed. Vincent Ostrom, David Feeny, y Hartmut Picht, 43–68. San Francisco: Institute for Contemporary Studies Press.

120 *Referencias*

————. 1989. *The Intellectual Crisis in American Public Administration.* 2a. ed. rev. Lincoln: University of Nebraska Press.

————. 1991. *The Meaning of American Federalism: Constituting a Self-Governing Society.* San Francisco: Institute for Contemporary Studies Press.

Ostrom, Vincent, David Feeny, y Hartmut Picht, eds. 1988. *Rethinking Institutional Analysis and Development: Issues, Alternatives, and Choices.* San Francisco: Institute for Contemporary Studies Press.

Ostrom, Vincent, y Elinor Ostrom. 1978. "Public Goods and Public Choices." En *Alternatives for Delivering Public Services: Toward Improved Performance,* ed. E. S. Savas, 79. Boulder, Colo.: Westview Press.

Pant, Niranjan, ed. 1984. *Productivity and Equity in Irrigation Systems.* Nueva Delhi: Ashish.

Patil, R. K. 1986. Pani Panchayats in Mula Command, Ahmednagar District, Maharashtra State. Estudio presentado en el Simposio sobre Sistemas de Riego Comunitarios organizado por el National Institute of Bank Management.

Plusquellec, Herve L., 1989. *Two Irrigation Systems in Colombia: Their Performance and Transfer of Management to Users' Associations.* Serie de Documentos de Trabajo PPR No. 264. Washington, D.C.: Banco Mundial.

————. 1990. *The Gezira Irrigation Scheme in Sudan. Objectives, Design, and Performance.* Documento Técnico No. 120. Washington, D.C.: Banco Mundial.

Plusquellec, Herve L., y Thomas H. Wickham. 1985. *Irrigation Design and Management: Experience in Thailand and Its General Applicability.* Documento Técnico No. 40. Washington, D.C.: Banco Mundial.

Pradhan, Prachanda. 1989a. *Patterns of Irrigation Organization in Nepal.* Colombo, Sri Lanka: International Irrigation Management Institute.

————. 1989b. *Increasing Agricultural Production in Nepal: Role of Low-Cost Irrigation Development through Farmer Participation.* Kathmandu, Nepal: International Irrigation Management Institute.

Reidinger, Richard B. 1974. "Institutional Rationing of Canal Water in Northern India: Conflict between Traditional Patterns and Modern Needs." *Economic Development and Cultural Change* 23(1): 79–104.

Repetto, Robert. 1986. *Skimming the Water: Rent-Seeking and the Performance of Public Irrigation Systems.* Informe de Investigación No. 41. Washington, D.C.: Instituto Mundial sobre Recursos.

Riordon, William L. 1963. *Plunkitt of Tammany Hall.* Nueva York: E. P. Dutton.

Roy, S. K. 1979. "Irrigation Development under India's New Plan (1978–83): An Appraisal." En *Agricultural Situation in India,* India,

Ministerio de Agricultura y Riego. Nueva Delhi: Gerente de Publicaciones, Civil Lines.

Runge, C. F. 1986. "Common Property and Collective Action in Economic Development." En *Proceedings of the Conference on Common Property Resource Management,* ed. National Research Council, 31–60. Washington, D.C.: National Academy Press.

Sampath, R. D., y Robert A. Young, eds. 1990. *Social, Economic, and Institutional Issues in Third World Irrigation Management.* Estudios en Política y Manejo de Agua No. 15. Boulder, Colo.: Westview Press.

Scharpf, Fritz W. 1990. "Games Actors May Play: The Problem of Predictability." *Rationality and Society* 2(4): 471–94.

Scudder, Thayer. 1990. "Victims of Development Revisited: The Political Costs of River Basin Development." *Development Anthropology Network* 8 (Spring): 1–5. Binghamton, N.Y.: Institute for Development Anthropology.

Shah, Tushaar. 1985. *Transforming Ground Water Markets into Powerful Instruments of Small Farmer Development: Lessons from the Punjab, Uttar Pradesh, and Gujarat.* Anand, India: Institute of Rural Management.

———. 1986. *Optimal Ground Water Markets: A Theoretical Framework.* Anand, India: Institute of Rural Management.

Sharan, Girja, y S. Narayanan. 1983. *Duration of Stay and Frequency of Transfers of District and Lower Level Officials.* El Experimento Rural Universitario: Documento Ocasional No. 1. Ahmedabad: Indian Institute of Management.

Shivakoti, Ganesh, y Khadka Giri. 1990. "Effects of Different Types and Levels of Intervention in Farmer Managed Irrigation Systems in Nepal." Borrador de informe para Proyecto de Manejo de Riego, Gobierno de Nepal.

Simon, Herbert A., Donald W. Smithburg, y Victor A. Thompson. 1958. *Public Administration.* Nueva York: Alfred A. Knopf.

Singh, K. K. 1983. "Farmers' Organisation and Warabandi in the Sriramasagar (Pochampad) Project." En *Utilization of Canal Waters: A Multidisciplinary Perspective on Irrigation,* Publicación No. 164, ed. K. K. Singh, 97–101. Nueva Delhi: Central Board for Irrigation and Power.

Siy, Robert Y., Jr. 1982. *Community Resource Management: Lessons from the Zanjera.* Quezon City: University of the Philippines Press.

———. 1988. "A Tradition of Collective Action: Farmers and Irrigation in the Philippines." En *Transforming a Bureaucracy: The Experience of the Philippine National Irrigation Administration,* ed. Frances F. Korten y Robert Y. Siy, Jr. West Hartford, Conn.: Kumarian Press.

Small, Leslie, Marietta Adriano, y Edward D. Martin. 1986. *Regional Study on Irrigation Service Fees: Final Report.* Kandy, Sri Lanka: International Irrigation Management Institute.

Sommer, J. G., R. Aquino, C. A. Fernández, F. H. Golay, y E. Simmons. 1982. *Philippines: BICOL Integrated Area Development.* Informe de Evalución de Impacto de Proyecto No. 28. Washington, D.C.: Agencia de los Estados Unidos para el Desarrollo Internacional.

Steinberg, David I., et al. 1983. *Irrigation and AID's Experience: A Consideration Based on Evaluations.* Informe de Evaluación de Programa de la AID No. 8. Washington, D.C.: Agencia de los Estados Unidos para el Desarrollo Internacional.

Sugden, R. 1986. *The Economics of Rights, Co-operation and Welfare.* Oxford: Basil Blackwell.

Tang, Shui Yan. 1991. "Institutional Arrangements and the Management of Common-Pool Resources." *Public Administration Review* 51(1): 42–51.

———. 1992. *Institutions and Collective Action: Self-Governance in Irrigation.* San Francisco: Institute for Contemporary Studies Press.

Tendler, Judith. 1975. *Inside Foreign Aid.* Baltimore, Md.: Johns Hopkins University Press.

Tollison, Robert B. 1982. "Rent Seeking: A Survey." *Kyklos* 35(4): 575–602.

Tsebelis, George. 1989. "The Abuse of Probability in Political Analysis: The Robinson Crusoe Fallacy." *American Political Science Review* 83: 77–91.

———. 1990. *Nested Games: Political Context, Political Institutions and Rationality.* Berkeley: University of California Press.

Uphoff, Norman. 1985. "People's Participation in Water Management: Gal Oya, Sri Lanka." En *Public Participation in Development Planning and Management: Cases from Africa and Asia,* ed. J. C. García-Zamor, 131–78. Boulder, Colo.: Westview Press.

———. 1986. *Improving International Irrigation Management with Farmer Participation: Getting the Process Right.* Boulder, Colo.: Westview Press.

Uphoff, Norman, M. L. Wickramasinghe, y C. M. Wijayaratna. 1990. "'Optimum' Participation in Irrigation Management: Issues and Evidence from Sri Lanka." *Human Organization* 49(1): 26–40.

U.S. Agency for International Development (Agencia de los Estados Unidos para el Desarrollo Internacional). 1983. *Irrigation and AID's Experience: A Consideration Based on Evaluations.* Informe de Evaluación de Programa de la AID No. 8. Washington, D.C.: Agencia de los Estados Unidos para el Desarollo Internacional.

Vander Velde, Edward J. 1980. "Local Consequences of a Large-Scale Irrigation System in India." En *Irrigation and Agricultural Development in Asia,* ed. E. Walter Coward, Jr., 199–328. Ithaca, N.Y.: Cornell University Press.

Wade, Robert. 1982a. *Irrigation and Agricultural Politics in South Korea.* Boulder, Colo.: Westview Press.

————. 1982b. "The System of Administrative and Political Corruption: Canal Irrigation in South India." *Journal of Development Studies* 18(3): 287–328.

————. 1982c. "Corruption: Where Does the Money Go?" *Economic and Political Weekly* 17(40): 1606.

————. 1985. "The Market for Public Office: Why the Indian State Is Not Better at Development." *World Development* 13(4): 467–97.

————. 1987. "Managing Water Managers: Deterring Expropriation or Equity as a Control Mechanism." En *Water and Water Policy in World Food Supplies,* ed. Wayne R. Jordon, 117–83. College Station: Texas A&M University Press.

————. 1988. *Village Republics: Economic Conditions for Collective Action in South India.* Cambridge: Cambridge University Press.

————. s.f. "The Evolution of Water Rights in South India: Directed and Induced." Washington, D.C.: Banco Mundial. Mimeografiado.

Weissing, Franz, y Elinor Ostrom. 1991. "Irrigation Institutions and the Games Irrigators Play: Rule Enforcement Without Guards." En *Game Equilibrium Models II: Methods, Morals, and Markets,* ed. Reinhard Selten, 188–262. Berlín: Springer-Verlag.

Williamson, Oliver E. 1979. "Transaction Cost Economics: The Governance of Contractual Relations." *Journal of Law and Economics* 22(2): 233–61.

————. 1985. *The Economic Institutions of Capitalism: Firms, Markets, Relational Contracting.* Nueva York: Free Press.

Wittfogel, Karl A. 1957. *Oriental Despotism.* Nueva Haven: Yale University Press.

Wolf, Edward C. 1986. "Beyond the Green Revolution: New Approaches for Third World Agriculture." *World Watch Paper* 73 (Octubre).

Wunsch, James, y Dele Olowu, eds. 1990. *The Failure of the Centralized State: Institutions and Self-Governance in Africa.* Boulder, Colo.: Westview Press.

Yudelman, Montague. 1985. *The World Bank and Agricultural Development: An Insider's View.* Documento No. 1 sobre Recursos Mundiales. Washington, D.C.: Instituto sobre Recursos Mundiales.

————. 1987. "The World Bank and Irrigation." En *Water and Water Policy in World Food Supplies: Proceedings of the Conference, 26–30 May 1985,* 419–23. College Station: Texas A&M University.

————. 1989. "Sustainable and Equitable Development in Irrigation Environments." En *Environment and the Poor: Development Strategies for a Common Agenda,* ed. W. Jeffrey Leonard, 61–85. Nueva Brunswick: Transaction Books.